Plano de Aula

40 semanas

3º ano

MATEMÁTICA

2ª EDIÇÃO

Kelly Cláudia Gonçalves

Plano de Aula
40 semanas

3º ano

MATEMÁTICA

2ª EDIÇÃO

Editora RIDEEL

EXPEDIENTE

Presidente e Editor Italo Amadio *(in memoriam)*
Diretora Editorial Katia F. Amadio
Editor Eduardo Starke
Revisão Roseli Simões
Valquíria Matiolli
Projeto Gráfico Reverson R. Diniz
Diagramação HiDesign Estúdio
Ilustrações R2 Estúdio

Dados Internacionais de Catalogação na Publicação (CIP)
Angélica Ilacqua CRB-8/7057

Gonçalves, Kelly Cláudia
  Plano de aula : 40 semanas : 3º ano : ensino fundamental - anos iniciais / Kelly Cláudia Gonçalves ; ilustrações de R2 Estúdio. -- 2. ed. -- São Paulo : Rideel, 2019.
  6 v. : il.

ISBN: 978-85-339-5801-2 (Plano de aula 3º ano - Português)
ISBN: 978-85-339-5802-9 (Plano de aula 3º ano - Matemática)
ISBN: 978-85-339-5803-6 (Plano de aula 3º ano - Ciências)
ISBN: 978-85-339-5804-3 (Plano de aula 3º ano - História)
ISBN: 978-85-339-5805-0 (Plano de aula 3º ano - Geografia)
ISBN: 978-85-339-5806-7 (Plano de aula 3º ano - Livro do professor)
ISBN: 978-85-339-5800-5 (Obra completa)

1. Educação infantil 2. Alfabetização I. Título II. R2 Estúdio

19-2403   CDD 372

Índices para catálogo sistemático:

1. Educação infantil

© 2023 - Todos os direitos reservados à

EDITORA RIDEEL

ABDR
EDITORA AFILIADA

Av. Casa Verde, 455 – Casa Verde
CEP 02519-000 – São Paulo – SP
e-mail: sac@rideel.com.br
www.editorarideel.com.br

Proibida a reprodução total ou parcial desta obra, por qualquer meio ou processo, especialmente gráfico, fotográfico, fonográfico, videográfico, internet. Essas proibições aplicam-se também às características de editoração da obra. A violação dos direitos autorais é punível como crime (art. 184 e parágrafos, do Código Penal), com pena de prisão e multa, conjuntamente com busca e apreensão e indenizações diversas (artigos 102, 103, parágrafo único, 104, 105, 106 e 107, incisos I, II e III, da Lei nº 9.610, de 19-2-1998, Lei dos Direitos Autorais).

3 5 7 9 8 6 4 2
0 1 2 3

Apresentação

A proposta apresentada na Coleção Plano de Aula está de acordo com a proposta da Base Nacional Comum Curricular (BNCC) Ensino Fundamental – Anos Iniciais. Ela apresenta uma progressão das múltiplas aprendizagens, articulando o trabalho com as experiências anteriores e valorizando as situações lúdicas de aprendizagem.

Tal articulação precisa prever tanto a progressiva sistematização dessas experiências quanto o desenvolvimento, pelos alunos, de novas formas de relação com o mundo, novas possibilidades de ler e formular hipóteses sobre os fenômenos, de testá-las, de refutá-las, de elaborar conclusões, em uma atitude ativa na construção de conhecimentos.

A proposta da Coleção é compreender as mudanças no processo do desenvolvimento da criança – como a maior autonomia nos movimentos e a afirmação de sua identidade.

As atividades propostas propõem o estímulo ao pensamento lógico, criativo e crítico, bem como sua capacidade de perguntar, argumentar, interagir e ampliar sua compreensão do mundo.

A progressão do conhecimento ocorre pela consolidação das aprendizagens anteriores e pela ampliação das práticas de linguagem e da experiência estética e intercultural das crianças, considerando tanto seus interesses e suas expectativas quanto o que ainda precisam aprender.

A Coleção assegura, ainda, um percurso contínuo de aprendizagem e uma maior integração entre as duas etapas do Ensino Fundamental, e traz cinco volumes: Língua Portuguesa, Matemática, Ciências da Natureza e Ciências Humanas (História e Geografia).

Com o intuito de garantir o desenvolvimento das competências específicas de área, cada componente curricular possui um conjunto de habilidades que estão relacionadas aos objetos de conhecimento (conteúdos, conceitos e processos) e que se organizam em unidades temáticas.

Entre os componentes curriculares presentes na BNCC, apenas Língua Portuguesa – da área de linguagens – não está estruturada em unidades temáticas. Ou seja, ela se organiza em práticas de linguagem (leitura/escuta, produção de textos, oralidade e análise linguística/semiótica), campos de atuação, objetos de conhecimento e habilidades.

Kelly Cláudia Gonçalves

Sobre a autora

Kelly Cláudia Gonçalves é pedagoga e psicopedagoga. Possui especialização em Alfabetização e Letramento. É diretora de escola privada e autora de diversas coleções pedagógicas, como *Aprendendo com Videoaulas, Atividades para Projetos, Alfabetizando no 2º Período, Cantando & Aprendendo, Cantando e Aprendendo com a Galinha Pintadinha, Cantando e Aprendendo com Datas Comemorativas, Oficina de Reforço Escolar, Oficina para Casa – Educação Infantil e Ensino Fundamental I*.

Sumário

1ª semana – Sistema de numeração decimal 9

2ª semana – Trabalhando com as centenas 15

3ª semana – Trabalhando com milhar 19

4ª semana – Ordens e classes 23

5ª semana – Fixando valor posicional 28

6ª semana – Adição e subtração 32

7ª semana – Calculando e pintando 36

8ª semana – Propriedades da adição 40

9ª semana – Multiplicação do 2 43

10ª semana – Multiplicação do 3 47

11ª semana – Multiplicação do 4 51

12ª semana – Multiplicação do 5 55

13ª semana – Multiplicação do 6 60

14ª semana – Multiplicação do 7 65

15ª semana – Multiplicação do 8 70

16ª semana – Multiplicação do 9 76

17ª semana – Multiplicação e mais multiplicação 80

18ª semana – Propriedades da multiplicação 85

19ª semana – Multiplicação por 10, 100 ou 1.000 89

20ª semana – Multiplicação com reagrupamento 93

21ª semana – Dobro, triplo, quádruplo e quíntuplo 97

22ª semana – Divisão do 2 101

23ª semana – Divisão do 3 107

24ª semana – Divisão do 4 111

25ª semana – Divisão do 5 117

26ª semana – Divisão do 6 121

27ª semana – Divisão do 7 125

28ª semana – Divisão do 8 129

29ª semana – Divisão do 9 133

30ª semana – Divisão por 10, 100, 1.000 138

31ª semana – Divisão com dois algarismos no divisor 140

32ª semana – Campeonato de problemas 144

33ª semana – Números fracionários 147

34ª semana – Sistema monetário 153

35ª semana – Medidas de tempo 160

36ª semana – Os dias da semana 165

37ª semana – Meses do ano 169

38ª semana – Medidas de comprimento 175

39ª semana – Medidas de capacidade 179

40ª semana – Medidas de massa 184

NOME: _____

DATA: ___/___/_____

1ª SEMANA

SISTEMA DE NUMERAÇÃO DECIMAL

É muito comum usar as partes do corpo para contar e medir. Com os dedos das mãos, fica mais fácil somar e subtrair. Como usamos os dez dedos, as pessoas passaram a agrupar as coisas de dez em dez.

Quando combinamos os dez símbolos indo-arábicos: 0, 1, 2, 3, 4, 5, 6, 7, 8 e 9, estamos trabalhando com o sistema de numeração decimal.

Centenas, dezenas e unidades
Ordens e classes

No sistema de numeração decimal, usamos símbolos que chamamos de algarismos. Em um número, cada algarismo ocupa uma posição ou uma ordem.

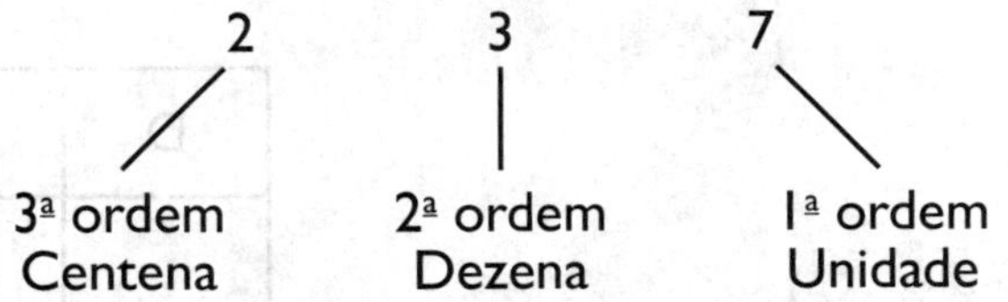

2 — 3ª ordem — Centena
3 — 2ª ordem — Dezena
7 — 1ª ordem — Unidade

1ª classe		
Centenas	Dezenas	Unidades
3ª ordem	2ª ordem	1ª ordem
2	3	7

3º ano – 2A EDIÇÃO

1ª SEMANA

NOME: _____

DATA: ___/___/_____

1. Continue como no modelo:

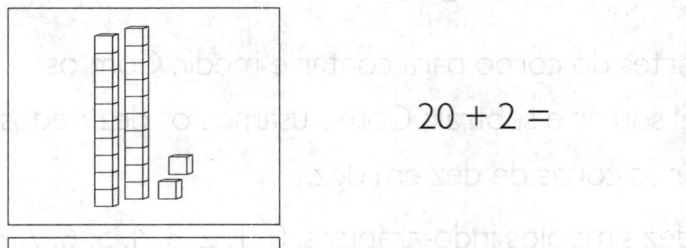

20 + 2 =

D	U
2	2

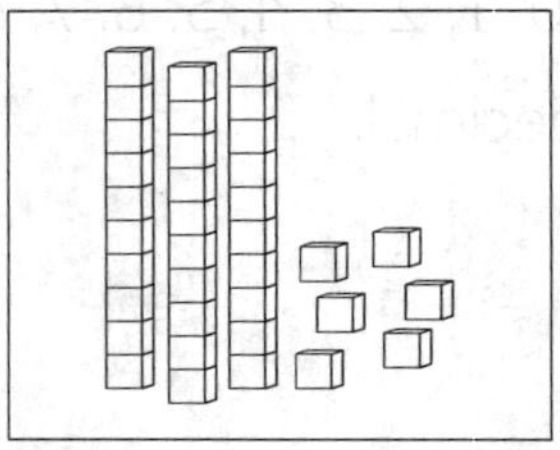

D	U

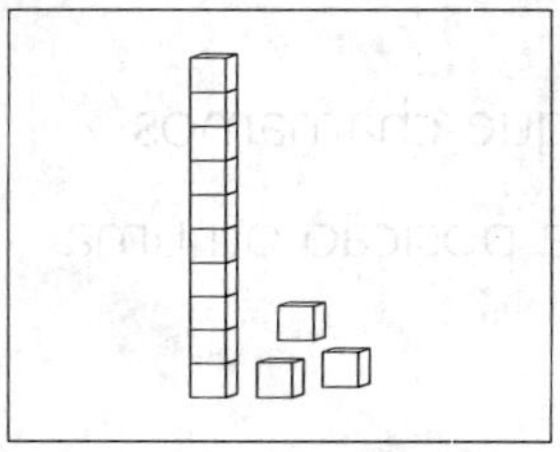

D	U

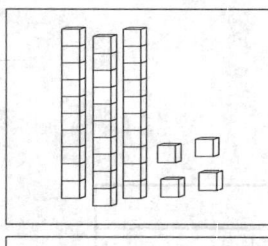

D	U

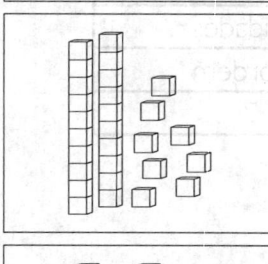

D	U

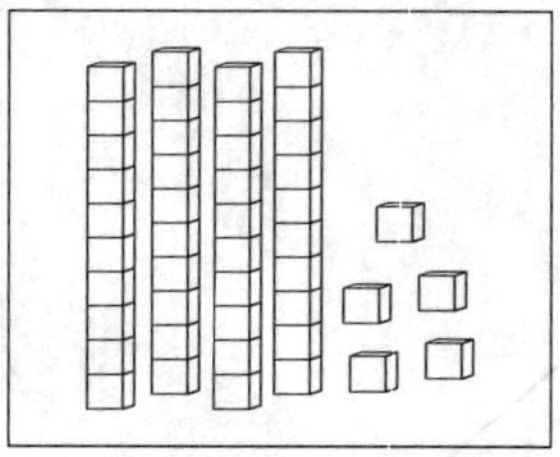

D	U

NOME: _____

DATA: ____/____/_____

1ª SEMANA

2. Escreva a quantidade de dezenas e unidades:

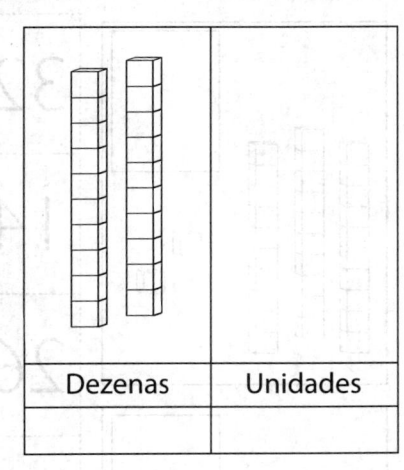

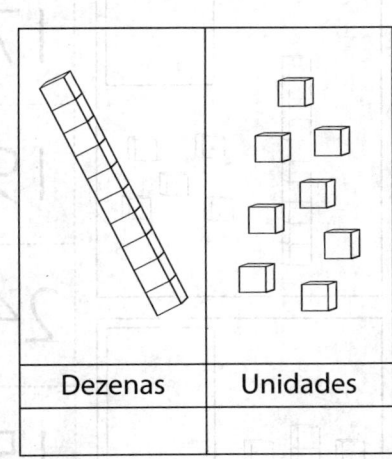

Dezenas	Unidades

Dezenas	Unidades

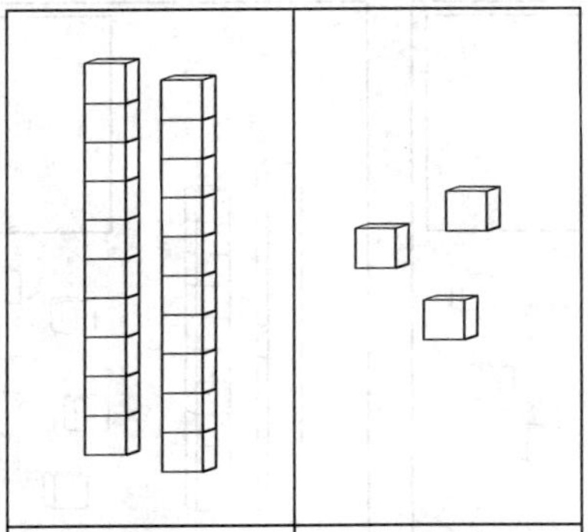

Dezenas	Unidades

Dezenas	Unidades

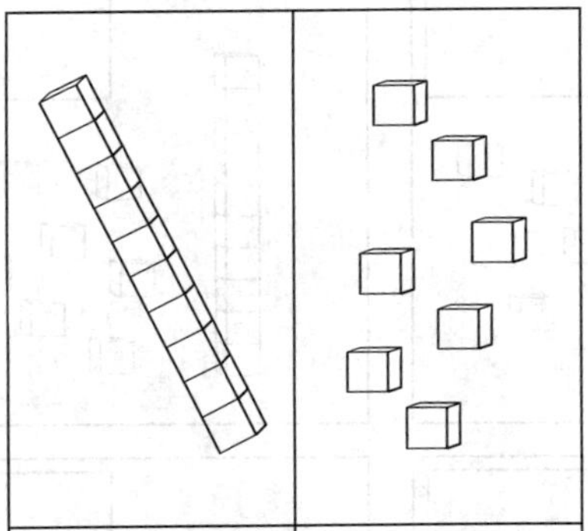

Dezenas	Unidades

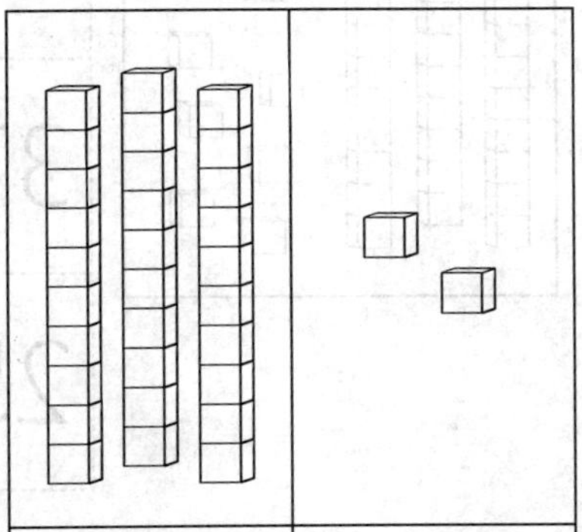

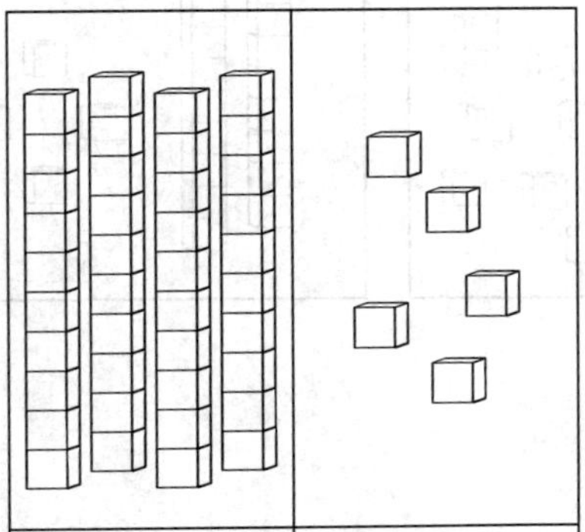

Dezenas	Unidades

3º ano – 2A EDIÇÃO

1ª SEMANA

NOME: _____

DATA: ___/___/_____

3. Recorte os números e cole-os no lugar certo:

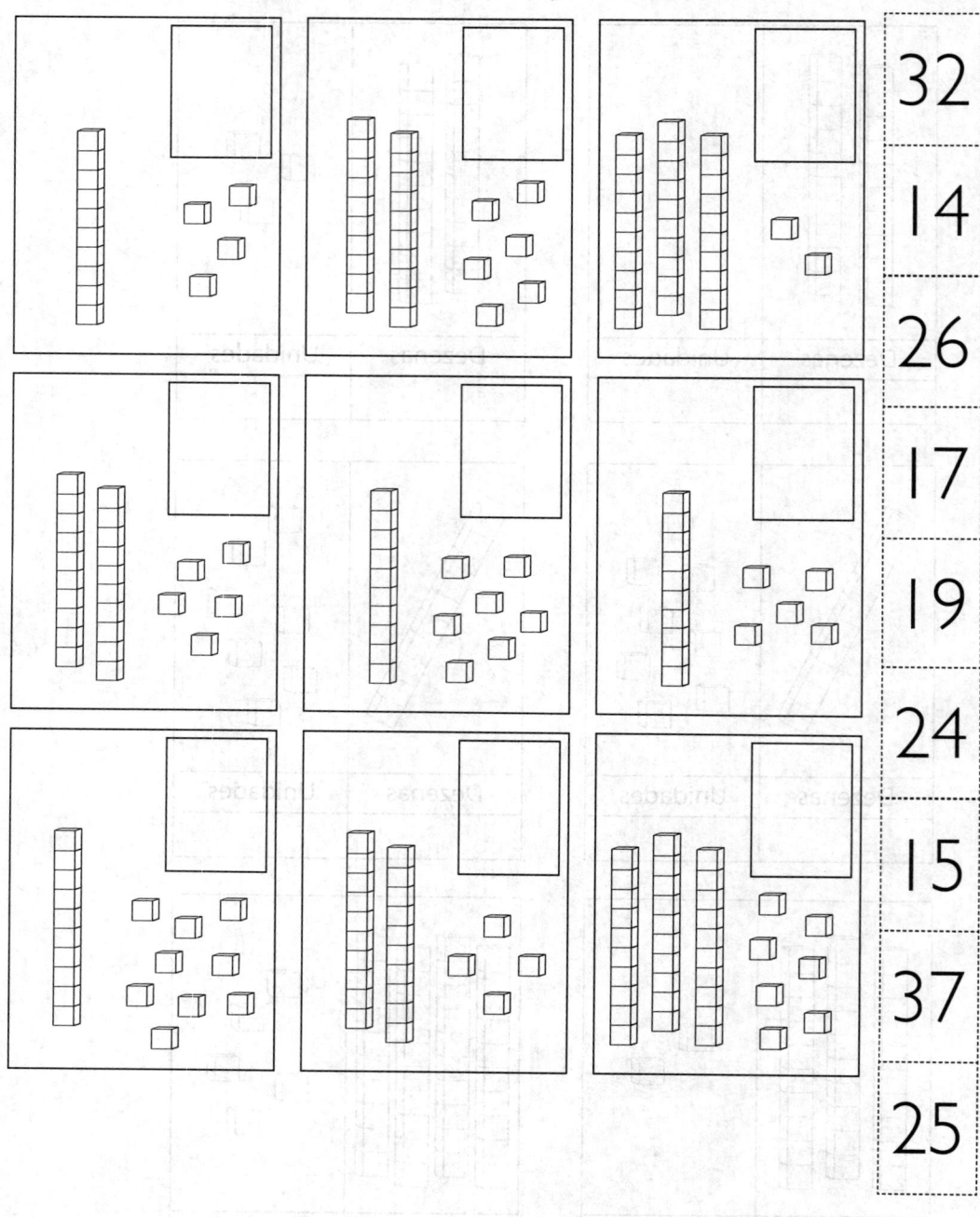

| 32 |
| 14 |
| 26 |
| 17 |
| 19 |
| 24 |
| 15 |
| 37 |
| 25 |

12   3º ANO — 2A EDIÇÃO

NOME: _____

DATA: ____/____/_____

1ª SEMANA

4. Pinte os números representados.

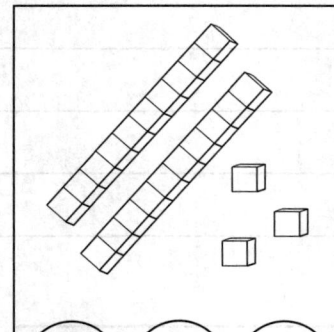

(13) (23) (18) 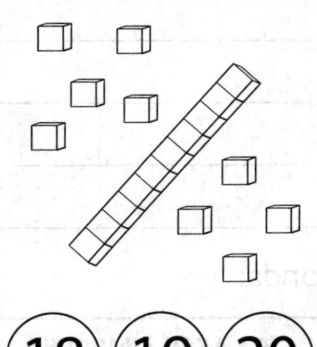   (18) (19) (20) 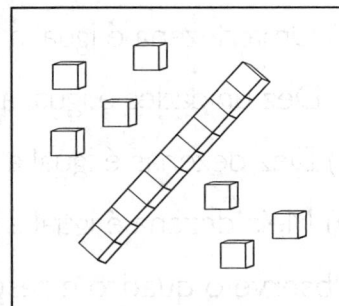   (18) (17) (13)

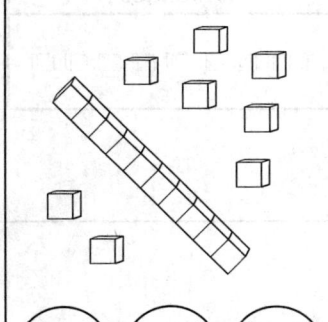

(13) (18) (28) 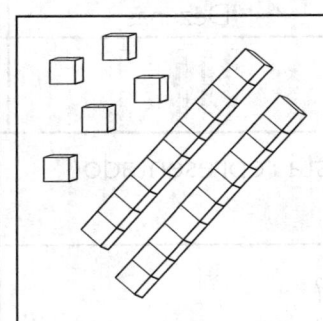   (25) (26) (23) 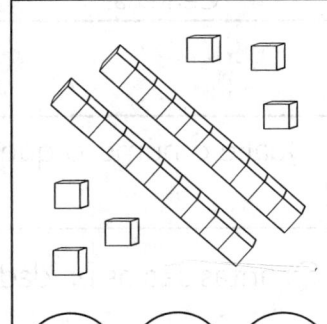   (26) (29) (16)

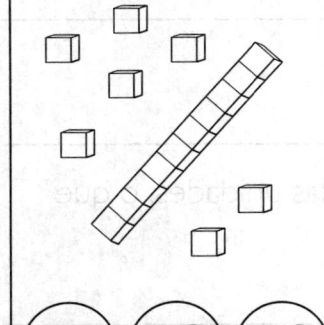

(17) (18) (19) 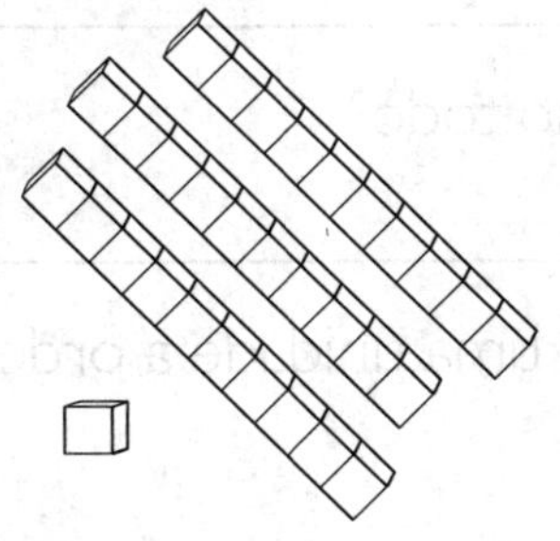   (13) (23) (31) 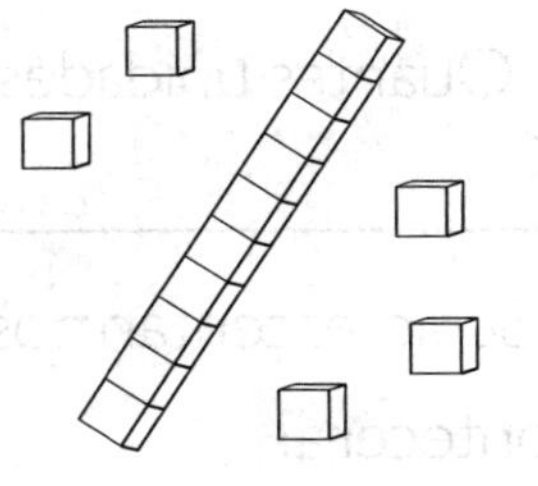   (13) (15) (16)

3º ano — 2A EDIÇÃO

NOME: _____

DATA: ____/____/_____

1ª SEMANA

5. Complete as frases:

   A) Uma dezena é igual a _____.

   B) Dez unidades é igual a _____.

   C) Dez dezenas é igual a _____.

   D) Meia dezena é igual a _____.

6. Observe o quadro e responda:

CLASSE SIMPLES		
3ª ordem	3ª ordem	3ª ordem
Centenas	Dezenas	Unidades
	|||||	☐☐☐☐☐☐☐☐

   A) Qual é o número que está representado?
   _____

   B) Quantas são as unidades?
   _____

   C) Quantas são as dezenas?
   _____

   D) Quantas unidades são ao todo?
   _____

   E) Se acrescentarmos mais uma unidade à ordem das unidades, o que acontecerá?
   _____

   F) Qual é o novo número formado?
   _____

NOME: _____

DATA: ____/____/_____

2ª SEMANA

TRABALHANDO COM AS CENTENAS

1 centena = 100

10 grupos de uma dezena é igual a 100 unidades.

100 unidades é o mesmo que uma centena.

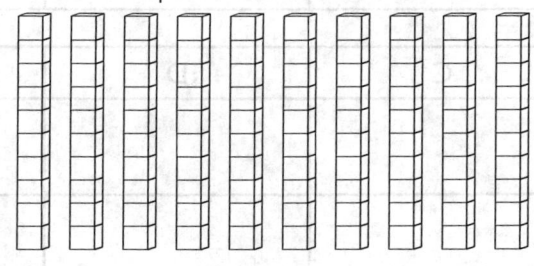

10 dezenas

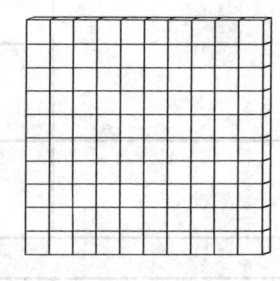

100 unidades

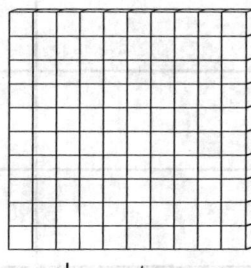

1 centena

A centena representa a terceira ordem.

Três ordens formam uma classe. Assim uma classe completa tem três ordens: unidades, dezenas e centenas.

3º ano — 2A EDIÇÃO

2ª SEMANA

NOME: _____

DATA: ____/____/_____

1. Represente no Q.V.L.:

	Classe das unidades simples		
	3ª ordem	2ª ordem	1ª ordem
	Centenas	Dezenas	Unidades
102		I	II

	C	D	U
324			
187			
256			
319			
543			

	C	D	U
251			
502			
212			
609			
105			

NOME: _____

DATA: ____/____/_____

2ª SEMANA

2. Decomponha os números em ordens:

231 → _____
614 → _____
581 → _____
136 → _____
217 → _____
819 → _____
301 → _____

3. Componha os números como no modelo:

5 centenas + 1 dezena + 8 unidades =

$$500 + 10 + 8 = 518$$

6 centenas + 7 dezenas + 1 unidade =

1 centena + 9 dezenas + 7 unidades =

3 centenas + 5 dezenas + 1 unidade =

1 centena + 1 dezena + 9 unidades =

8 centenas + 1 dezena =

3º ano — 2A EDIÇÃO

2ª SEMANA

NOME: _____

DATA: ____/____/_____

4. Forme números:

   2 centenas, 1 dezena e 3 unidades = 213
   8 centenas, 3 dezenas e 1 unidade = _____
   1 centena, 7 dezenas e 5 unidades = _____
   9 centenas, 8 dezenas e 1 unidade = _____
   2 centenas e 1 unidade = _____
   8 centenas e 1 dezena = _____
   4 centenas, 4 dezenas e 1 unidade = _____

5. Observe e faça o que se pede:

Cubinho	Barra	Placa
Unidade	1 dezena ou 10 unidades	1 centena ou 10 dezenas

   A) Represente os números:

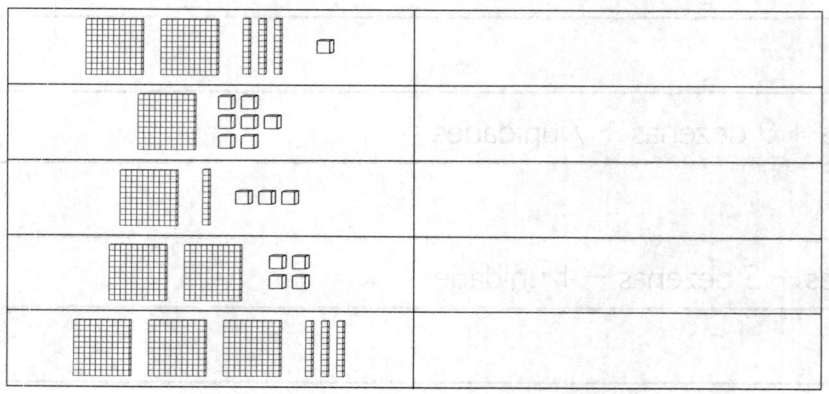

2 placas, 3 barras, 1 cubinho	
1 placa, 5 barras, 4 cubinhos (aprox.)	
1 placa, 1 barra, 3 cubinhos	
2 placas, 4 cubinhos	
1 placa, 2 barras, 3 cubinhos	

   B) Complete escrevendo os números:

   6 placas possuem _____ barras = _____
   4 barras possuem _____ cubinhos = _____
   3 placas possuem _____ barras = _____
   5 placas + 1 barra = _____

NOME: _____

DATA: ___/___/_____

3ª SEMANA

TRABALHANDO COM MILHAR

Quando formamos 100 grupos de 1 dezena, temos o valor referente a 1.000.

Quando formamos 10 grupos de 1 centena, temos o valor referente a 1.000.

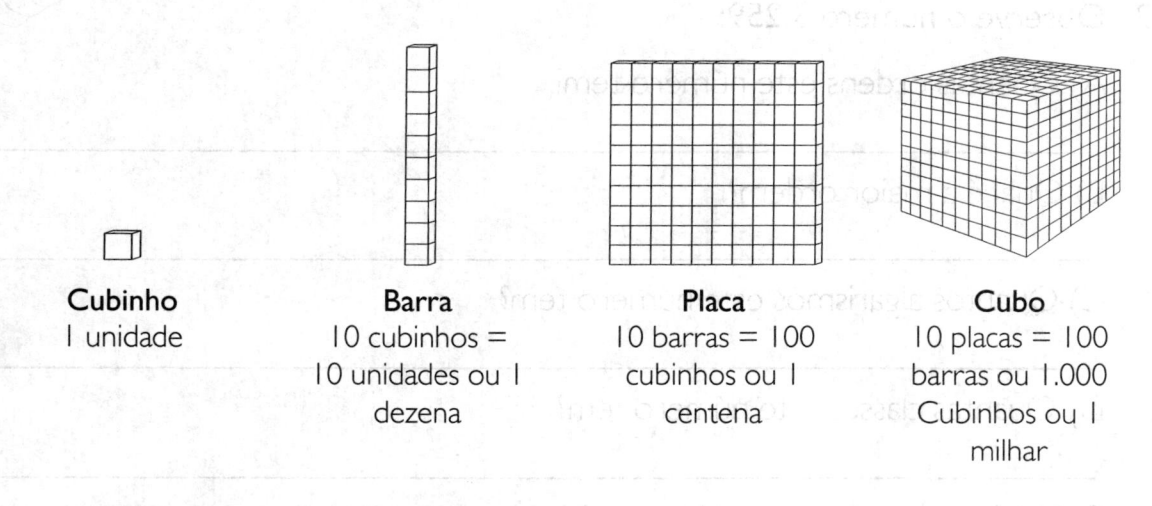

Cubinho
1 unidade

Barra
10 cubinhos = 10 unidades ou 1 dezena

Placa
10 barras = 100 cubinhos ou 1 centena

Cubo
10 placas = 100 barras ou 1.000 Cubinhos ou 1 milhar

Então, 10 centenas = 100 dezenas = 1.000 unidades.

Classe dos milhares			Classe das unidades simples		
6ª ordem	5ª ordem	4ª ordem	3ª ordem	2ª ordem	1ª ordem
Centenas de milhar	Dezenas de milhar	Unidades de milhar	Centenas simples	Dezenas simples	Unidades simples

A cada três ordens, formamos uma nova classe.

Classe das unidades simples: unidade, dezena e centena.

Classe dos milhares: unidade de milhar, dezena de milhar e centena de milhar.

3º ano – 2A EDIÇÃO

3ª SEMANA

NOME: _____

DATA: ____/____/_____

1. Complete as lacunas com os números que correspondem ao mesmo valor.

   10 centenas = _____ unidades

   1.000 unidades = _____ dezenas

   10 centenas = _____ milhar

2. Observe o número 3.259:

   A) Quantas ordens este número tem?
   _____

   B) Qual é a maior ordem?
   _____

   C) Quantos algarismos este número tem?
   _____

   D) Quantas classes este número tem?
   _____

   E) Quais ordens formam a 1ª classe?
   _____

   F) Quais ordens formam a 2ª classe?
   _____

   G) Qual é o número que ocupa a terceira ordem? Quanto ele vale?
   _____

   H) Qual é o número que ocupa a ordem de maior valor? Quanto ele vale?
   _____

   I) Qual é o número que ocupa a ordem de menor valor? Quanto ele vale?
   _____

   J) Qual é o número que ocupa a ordem das dezenas? Quanto ele vale?
   _____

3º ANO — 2A EDIÇÃO

3. Faça o que se pede:

3.087	UM	C	D	U
Ordem que ocupa				
Valor absoluto				
Valor relativo				
7.838	UM	C	D	U
Ordem que ocupa				
Valor absoluto				
Valor relativo				
2.426	UM	C	D	U
Ordem que ocupa				
Valor absoluto				
Valor relativo				
1.756	UM	C	D	U
Ordem que ocupa				
Valor absoluto				
Valor relativo				

4. Decomponha os números:

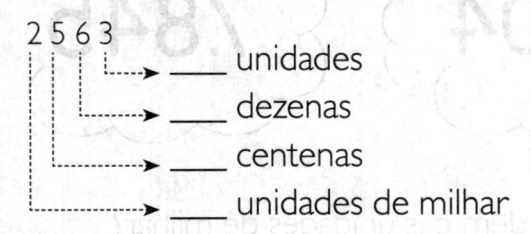

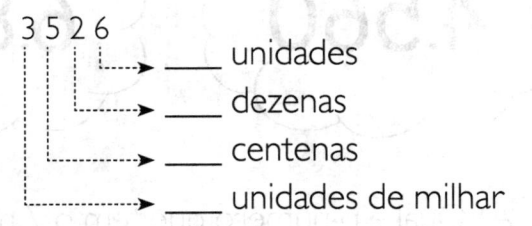

2 5 6 3
→ ___ unidades
→ ___ dezenas
→ ___ centenas
→ ___ unidades de milhar

3 5 2 6
→ ___ unidades
→ ___ dezenas
→ ___ centenas
→ ___ unidades de milhar

5. Forme 5 números de 4 algarismos com o número em destaque. Não vale repetir números!

6.912

3ª SEMANA

NOME: _____

DATA: ____/____/_____

6. Escreva os números formados:

Unidades de milhar	Centenas	Dezenas	Unidades
2 lápis	1 lápis	2 lápis	4 lápis

Unidades de milhar	Centenas	Dezenas	Unidades
1 lápis	3 lápis	2 lápis	6 lápis

Unidades de milhar	Centenas	Dezenas	Unidades
5 lápis	3 lápis	1 lápis	

Unidades de milhar	Centenas	Dezenas	Unidades
3 lápis	5 lápis	2 lápis	3 lápis

Unidades de milhar	Centenas	Dezenas	Unidades
4 lápis	4 lápis		6 lápis

7. Observe os números e faça o que se pede:

4.560   6.804   7.845

A) Qual é o número que tem o 7 na ordem das unidades de milhar?
_____

B) Qual é o número em que a centena é o número 5?
_____

C) Quais números têm o mesmo algarismo na terceira ordem?
_____

3º ano — 2A EDIÇÃO

ORDENS E CLASSES

1. Faça como mostrado no exemplo:

   1.756

   1 unidade de milhar

   17 centenas

   175 dezenas

   1.756 unidades

   A) 2.346

   _____ unidades de milhar

   _____ centenas

   _____ dezenas

   _____ unidades

   B) 4.321

   _____ unidades de milhar

   _____ centenas

   _____ dezenas

   _____ unidades

   C) 3.782

   _____ unidades de milhar

   _____ centenas

   _____ dezenas

   _____ unidades

   D) 5.290

   _____ unidades de milhar

   _____ centenas

   _____ dezenas

   _____ unidades

   E) 1.457

   _____ unidades de milhar

   _____ centenas

   _____ dezenas

   _____ unidades

   F) 7.036

   _____ unidades de milhar

   _____ centenas

   _____ dezenas

   _____ unidades

   G) 6.380

   _____ unidades de milhar

   _____ centenas

   _____ dezenas

   _____ unidades

NOME: _____

4ª SEMANA

DATA: ___/___/_____

2. O gráfico apresenta o resultado de uma pesquisa de opinião, realizada para saber qual alimento é mais prejudicial à saúde. Oberve-o e responda:

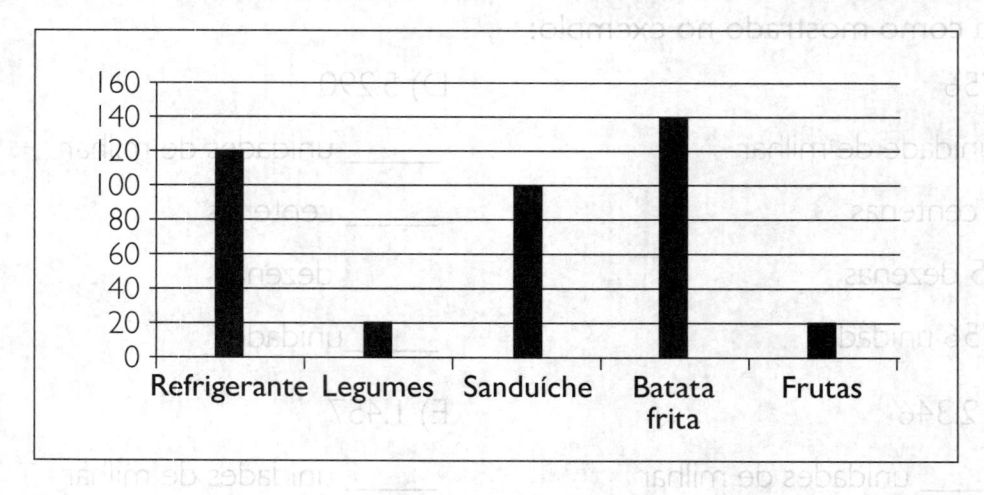

160	
140	
120	
100	
80	
60	
40	
20	
0	Refrigerante Legumes Sanduíche Batata frita Frutas

A) Complete a tabela com o número de pessoas que escolheram:

Refrigerante		Legumes		Sanduíche	

Batata frita		Frutas	

B) Qual é a soma de todas as pessoas entrevistadas?
_____

C) Quais são os alimentos considerados mais saudáveis?
_____

D) Quais são os alimentos considerados prejudiciais à saúde?
_____

E) Qual é o alimento mais prejudicial na opinião do público?
_____

3º ANO — 2A EDIÇÃO

NOME: _____

DATA: ____/____/_____

4ª SEMANA

F) Decomponha o valor que indica o número de pessoas que preferem batata frita e escreva como se lê.

_____

3. Foi feita, na cidade de contagem, em minas gerais, uma manifestação pela paz. Os participantes estavam de branco e carregavam faixas com frases pedindo paz e amor. Ao todo, participaram **2.675** pessoas. Referente ao número, responda:

A) Quantas ordens esse número tem?
_____

B) Como se lê esse número?
_____

C) Que número ocupa a 3ª ordem e qual o seu valor posicional?
_____

D) Represente os algarismos desse número no Q.P.:

UM	C	D	U

E) Decomponha o número representado.
_____

F) Qual é o algarismo de maior valor? Quanto ele representa?
_____

G) Qual é o algarismo de menor valor? Quanto ele representa?
_____

H) Qual é o número de maior valor absoluto? Em qual ordem ele se encontra?
_____

3º ano – 2A EDIÇÃO

4ª SEMANA

NOME: _____

DATA: ____/____/_____

4. Decomponha o quadro:

Número	Decomposição	Como se lê
974		
1.483		
12.657		
8.172		
16.529		
31.410		

5. Decomponha os números:

4 dezenas + 3 unidades → _____

6 centenas + 3 dezenas + 2 unidades → _____

4 unidades de milhar + 5 centenas + 7 dezenas + 1 unidade → _____

7 dezenas → _____

4 dezenas + 2 unidades → _____

6 dezenas de milhar + 1 unidade de milhar + 1 centena + 2 dezenas + 1 unidade → _____

9 centenas + 5 unidades → _____

3 centenas + 8 unidades → _____

6 unidades de milhar + 5 centenas → _____

4 dezenas de milhar + 5 centenas → _____

1 centena + 4 unidades → _____

26 3º ano — 2A EDIÇÃO

NOME: _____

DATA: ____/____/_____

4ª SEMANA

6. Resolva os problemas:

A) Uma cozinheira fez 3 centenas de coxinha, 8 centenas de empada, 9 dezenas de pastel frito e 85 enrolados de presunto. Quantos salgados foram feitos?

CÁLCULO

B) Em determinada loja, um Tablet custa 760,00. Em outra, o mesmo eletrônico custa 590,00. Qual é a diferença de preço?

CÁLCULO

C) Maria Sophia nasceu em 1997. Qual é a idade dela hoje?

CÁLCULO

D) Em uma exposição, um fazendeiro expôs 215 bois, comprou 35 e vendeu 172. Com quantos bois o fazendeiro ficou?

CÁLCULO 1   CÁLCULO 2

3º ano — 2A EDIÇÃO

5ª SEMANA

NOME: _____

DATA: ____/____/_____

FIXANDO VALOR POSICIONAL

Existem o valor relativo e o valor posicional.

Valor relativo refere-se ao valor da ordem em que o número se encontra:

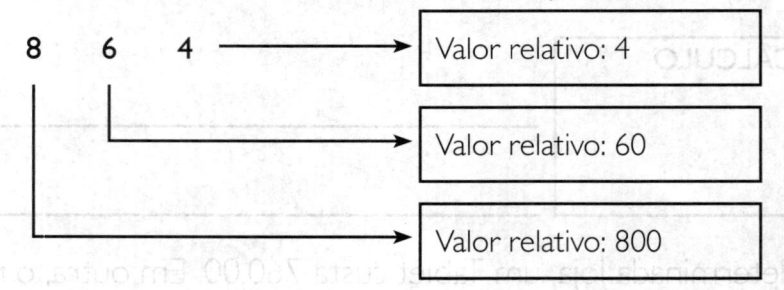

8 6 4 → Valor relativo: 4

→ Valor relativo: 60

→ Valor relativo: 800

Valor absoluto refere-se ao mesmo valor do número:

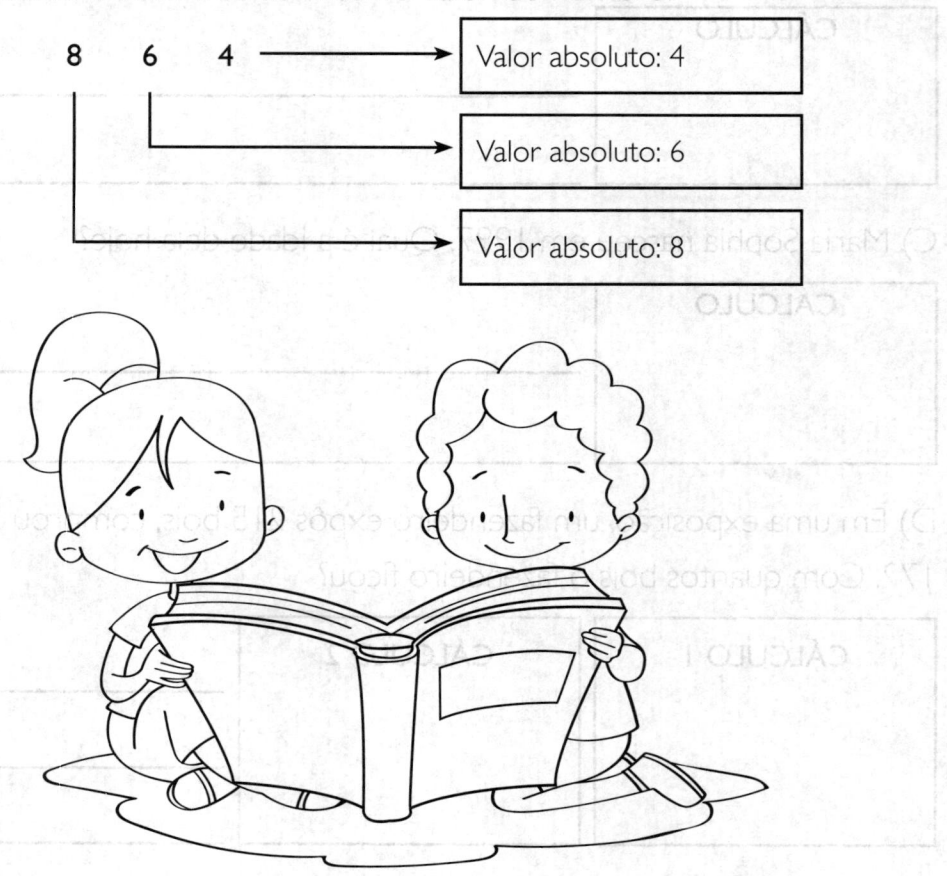

8 6 4 → Valor absoluto: 4

→ Valor absoluto: 6

→ Valor absoluto: 8

NOME: _____

DATA: ____/____/_____

5ª SEMANA

1. Dê o valor absoluto e o relativo dos números em destaque:

Número	Valor absoluto	Valor relativo
9**6**2		
5.38**9**		
260		
1.154		
66**7**		
763		

2. Observe este número e indique: **6.895**

O algarismo de **maior** valor absoluto. _____

O algarismo de **menor** valor absoluto. _____

O algarismo de **maior** valor relativo. _____

O algarismo de **menor** valor relativo. _____

A soma dos valores absolutos do número. _____

CÁLCULO

3º ano – 2A EDIÇÃO

5ª SEMANA

NOME: _____

DATA: ___/___/_____

3. Escreva os números representados e, depois, escreva por extenso:

2ª classe			1ª classe		
Milhares			Unidades		
C	D	U	C	D	U
I	II	I	III	II	IIII
	I	I	IIII	II	III
IIII	III	I	II	IIII	III
		IIIII	II	III	IIIIII
	III	II	II	I	III

NOME: _____

DATA: ____/____/_____

5ª SEMANA

4. Por quantas classes é formado cada número?

1.796	8.009	284.572
810.037	46.090	8
13.805	21	870.320
100	99	

5. Leia a informação e faça o que se pede:

> A maior rodovia do Brasil é a Transamazônica. Ela tem 4.692 quilômetros de extensão.

A) Quantas classes tem este número?
_____

B) Quantas ordens este número tem?
_____

C) Qual é o algarismo de maior valor relativo? Quanto ele vale?
_____

D) Qual é o algarismo de maior valor absoluto? Quanto ele vale?
_____

3º ano – 2A EDIÇÃO

ADIÇÃO E SUBTRAÇÃO

1. A escola organizou uma campanha de arrecadação de materiais escolares para crianças carentes. Ela dividiu os alunos em 4 grupos. O quadro mostra a arrecadação de materiais referentes a três semanas. Observe o quadro e complete-o:

Grupo	1ª semana	2ª semana	3ª semana	Total parcial
1	31	102		342
2	54	135	304	
3	28	125	189	
4	60	209		556

NOME: _____

DATA: ____/____/_____

6ª SEMANA

A) Quantas doações o grupo 2 levou?
_____

B) Quais grupos conseguiram a mesma quantidade de doações?
_____

C) Quantas doações faltam para o grupo 2 atingir a mesma quantidade do grupo 4?

D) Quantas prendas foram levadas pelos quatro grupos na primeira semana?

E) Quantas doações foram levadas pelos grupos na 2ª semana?

F) Quantas doações foram levadas pelos grupos na 3ª semana?

3º ano – 2A EDIÇÃO

6ª SEMANA

NOME: _____

DATA: ____/____/_____

2. Represente as adições no Q.V.L.:

22 + 17 =

D	U

18 + 23 =

D	U

13 + 18 =

D	U

14 + 19 =

D	U

39 + 27 =

D	U

32 + 14 =

D	U

43 + 20 =

D	U

19 + 32 =

D	U

30 + 46 =

D	U

27 + 29 =

D	U

17 + 38 =

D	U

36 + 35 =

D	U

34 + 19 =

D	U

29 + 26 =

D	U

36 + 38 =

D	U

53 + 33 =

D	U

3º ano — 2A EDIÇÃO

NOME: _____

DATA: ____/____/_____

6ª SEMANA

3. Resolva as subtrações no Q.V.L.:

75 – 54 =

D	U

31 – 16 =

D	U

93 – 67 =

D	U

46 – 24 =

D	U

55 – 28 =

D	U

45 – 16 =

D	U

82 – 54 =

D	U

32 – 7 =

D	U

31 – 9 =

D	U

23 – 17 =

D	U

56 – 19 =

D	U

44 – 26 =

D	U

3º ano – 2A EDIÇÃO

CALCULANDO E PINTANDO

1. Resolva as adições, cole as figuras conforme os resultados e pinte a paisagem formada.

	4	9	7
+	3	3	3

	5	5	7
+	2	5	3

	7	0	2
+	1	9	9

	1	2	2
+	2	8	3

	6	6	6
+	1	5	7

	7	4	7
+		6	9

	5	0	6
+	2	0	6

	7	3	8
+	2	6	8

	2	3	4
+	1	9	7
+		5	6

	7	2	2
+		8	8
+		8	1

	6	1	4
+	1	0	6
+	2	1	1

	2	9	9
+	1	8	8
+	3	7	7

✂ -

901	830	891	864
487	931	810	405
712	823	816	1.006

NOME: _____

DATA: ____/____/_____

7ª SEMANA

2. Resolva as subtrações, cole as figuras conforme o resultado e pinte a paisagem formada.

	9	3	6
−		2	3

	4	7	9
−		6	7

	5	6	9
−		5	8

	4	9	5
−		6	2

	7	8	8
−	5	2	6

	9	4	8
−	6	3	5

	6	4	5
−	2	2	3

	3	3	3
−	1	2	0

	7	0	2
−	3	0	0

	5	8	2
−	3	1	1

	6	6	3
−	4	1	2

	8	6	7
−	3	3	3

- ✂

251 | 433 | 402 | 511

313 | 271 | 262 | 534

412 | 422 | 913 | 213

3º ano — 2A EDIÇÃO

NOME: ______________________________

DATA: ___/___/______

3. Resolva as operações, pinte os bules e forme a frase de acordo com os resultados.

656 + 242
656 − 242
846 − 511
846 + 511
740 − 010
740 + 010
935 − 111
935 + 111
400 + 400
400 − 400
777 + 321
777 − 321
240 − 38

335 = cuidar	898 = Devemos	414 = ajudar	730 = plantas
1.357 = das	750 = Elas	800 = alimento	1.046 = fornecem
824 = nos	456 = sempre	0 = e	1.098 = oxigênio
202 = a			

Forme a frase:

____

____

____

NOME: _____

DATA: ____/____/_____

7ª SEMANA

4. Resolva as subtrações e leve o encanador à casa em que todos os resultados forem pares. Pinte o caminho das setas.

588 – 379	476 – 358	862 – 247	210 – 105
356 – 128	327 – 119	666 – 227	290 – 152
777 – 288	536 – 148	435 – 240	692 – 394
605 – 308	400 – 206	560 – 202	700 – 250

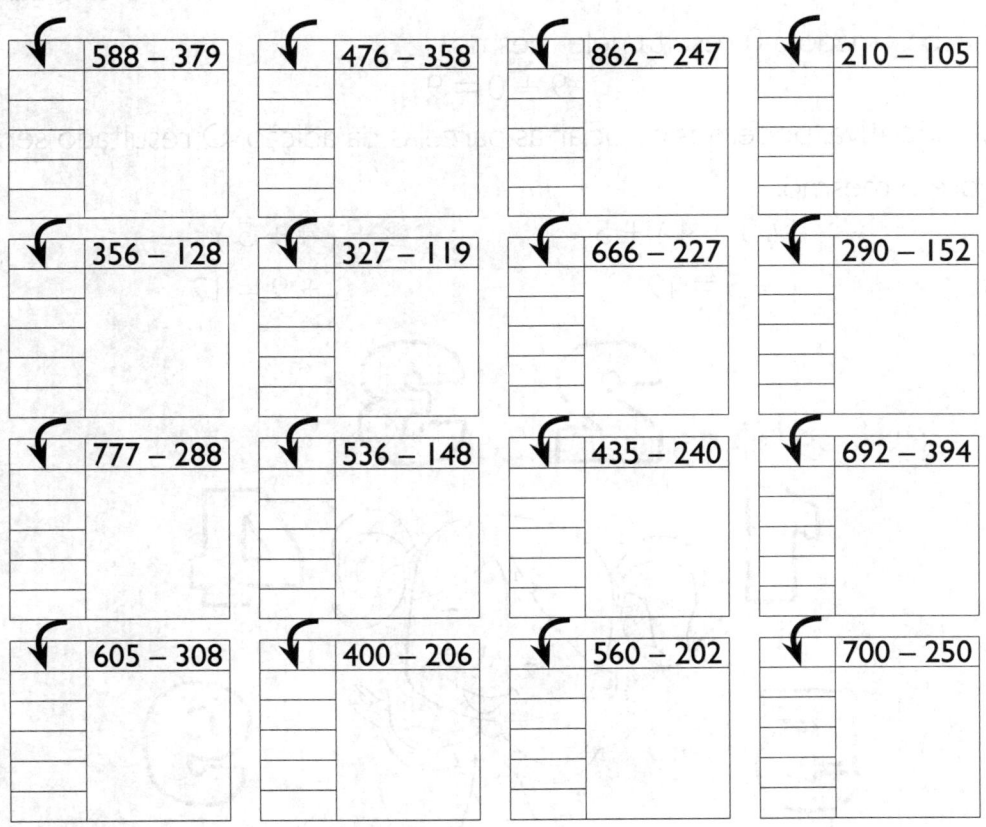

3º ano – 2A EDIÇÃO

NOME: _____

DATA: ___/___/_____

PROPRIEDADES DA ADIÇÃO

São propriedades da adição:

- Fechamento: a soma de dois números naturais é um número natural.
$$6 + 7 = 13$$
- Comutativa: a ordem dos fatores não altera o produto.
$$4 + 6 = 10 \qquad 6 + 4 = 10$$
- Elemento neutro: o elemento neutro da adição é o número 0. Qualquer número somado a 0 resulta nele mesmo.
$$9 + 0 = 9$$
- Associativa: podemos associar as parcelas da adição. O resultado será sempre o mesmo.

$$(3 + 4) + 5 \qquad 3 + (4 + 5)$$
$$7 + 5 = 12 \qquad 3 + 9 = 12$$

NOME: _____

DATA: ____/____/_____

8ª SEMANA

1. De acordo com as propriedades da adição, complete as frases:

   A) Quando somamos dois números naturais, o resultado é sempre um
   _____ .

   B) Qualquer número somado a zero é _____ .

   C) A ordem das parcelas não altera o _____ .

   D) Podemos associar as parcelas de diferentes formas que o resultado não
   _____ .

2. Escreva o nome da propriedade aplicada:

   A) $0 + 7 = 7$
   _____

   B) $(5 + 2) + 6$
   _____

   C) $6 + 7 = 7 + 6$
   _____

   D) $9 + 1 = 10$
   _____

3. As letras abaixo representam números naturais. Quais são esses números?

   A) $A + 8 = 8$
   B) $0 + X = 10$
   C) $Z + 7 = 13$
   D) $9 + X = 1$

3º ANO — 2A EDIÇÃO

8ª SEMANA

NOME: _____

DATA: ___/___/_____

4. Calcule e cite a propriedade aplicada:

   A) 10 + (5 + 6) =
   _____

   B) 16 + 4 =
   _____

   C) 24 + 10 = 10 + 24
   _____

   D) 46 + 0 =
   _____

5. Associe as adições de duas maneiras diferentes:

   A) 5 + 6 + 7
   _____

   B) 10 + 4 + 9
   _____

6. Aplique a propriedade comutativa:

   A) 8 + 9 = _____
   B) 7 + 6 = _____
   C) 9 + 3 = _____
   D) 5 + 4 = _____

7. Dê um exemplo de elemento neutro da adição:
   _____
   _____
   _____

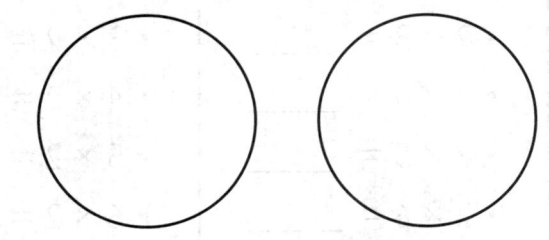

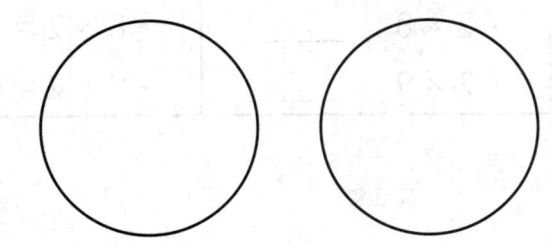

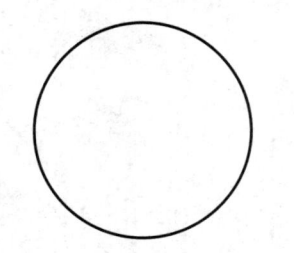

NOME: _____

DATA: ____/____/_____

9ª SEMANA

MULTIPLICAÇÃO DO 2

1. Resolva por meio de conjuntos e por meio da adição e da multiplicação.

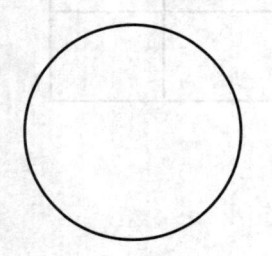

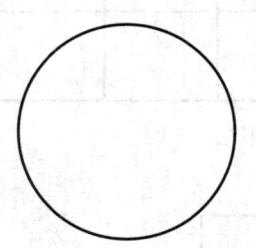

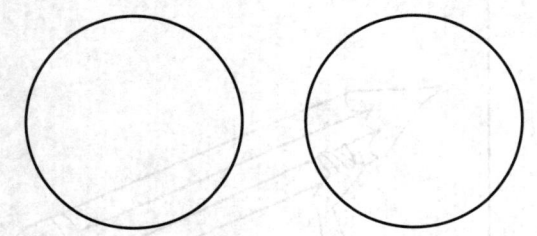

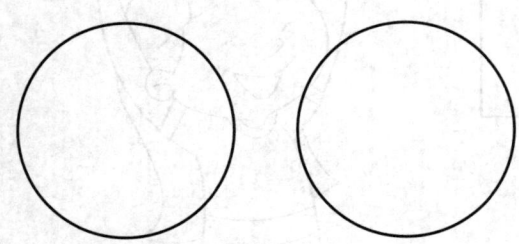

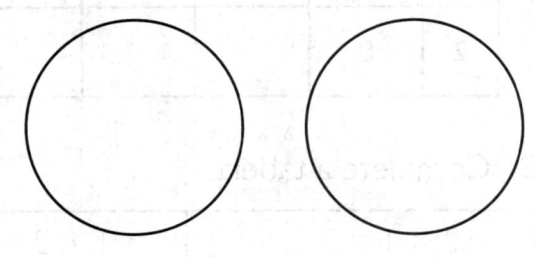

2 + 2 = ___   ou   2 × 2 = ___   3 + 3 = ___   ou   2 × 3 = ___

2 × 4 = ___   2 × 5 = ___

2 × 6 = ___   2 × 7 = ___

2 × 8 = ___   2 × 9 = ___

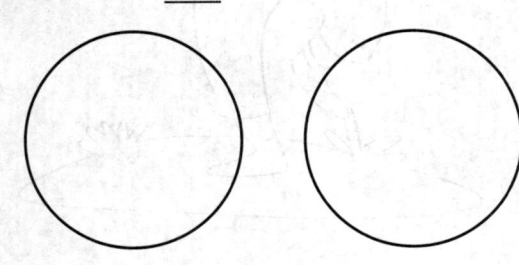

3º ano – 2A EDIÇÃO

9ª SEMANA

NOME: _____

DATA: ____/____/_____

2. Preencha a tabela da multiplicação por 2.

×	0	1	2	3	4	5	6	7	8
2	0								

3. Complete a tabela.

- 2 × 1 = 2
- 2 × 2 = 4
- 2 × 3 = ____
- 2 × 4 = ____
- 2 × 5 = ____
- 2 × 6 = ____
- 2 × 7 = ____
- 2 × 8 = ____
- 2 × 9 = ____

- 1 × 2 = 2
- 2 × 2 = ____
- 3 × 2 = ____
- 4 × 2 = ____
- 5 × 2 = ____
- 6 × 2 = ____
- 7 × 2 = ____
- 8 × 2 = ____
- 9 × 2 = ____

3º ano — 2A EDIÇÃO

NOME: _____

DATA: _____/_____/_____

9ª SEMANA

4. Efetue as operações e represente-as no Q.P.:

41
+ 5
___
?

18
× 2
___
?

D	U

2 × 20 = _____

20
× 2

D	U

2 × 35 = _____

35
× 2

D	U

2 × 14 = _____

14
× 2

5. Transforme as multiplicações em adições e as resolva:

Exemplo: 2 × 1 = 1 + 1 = 2

A) 2 × 3 = _____
B) 2 × 6 = _____
C) 2 × 9 = _____
D) 2 × 4 = _____
E) 2 × 2 = _____
F) 2 × 5 = _____
G) 2 × 8 = _____
H) 2 × 7 = _____

3º ano – 2A EDIÇÃO

9ª SEMANA

NOME: _____

DATA: ___/___/_____

6. Resolva as multiplicações:

16
× 2
___

24
× 2
___

78
× 2
___

49
× 2
___

57
× 2
___

96
× 2
___

68
× 2
___

93
× 2
___

63
× 2
___

25
× 2
___

69
× 2
___

75
× 2
___

46   3º ano — 2A EDIÇÃO

MULTIPLICAÇÃO DO 3

1. Escreva de 3 em 3:

____ ____ 9, ____ 15, 18,

____ 24, ____ 30, ____ ____

____ ____ ____ ____ ____ 54,

____

2. Resolva as roletas da multiplicação:

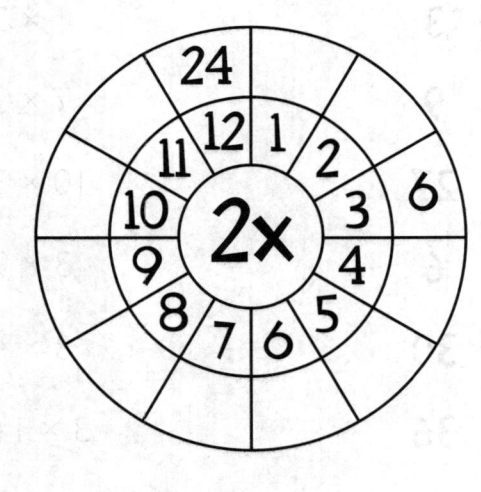

10ª SEMANA

NOME: _____

DATA: ____/____/_____

3. Ligue corretamente:

6 × 3	18	3 × 3
2 × 3	3	1 × 3
11 × 3	9	7 × 3
9 × 3	27	10 × 3
3 × 5	6	3 × 9
3 × 3	30	3 × 4
3 × 12	36	3 × 11
3 × 7	21	5 × 3
3 × 10	15	3 × 8
8 × 3	33	3 × 6
3 × 1	24	12 × 3
4 × 3	12	3 × 2

48 3º ano — 2A EDIÇÃO

NOME: _____

DATA: ____/____/_____

10ª SEMANA

4. Troque os símbolos por números e resolva as multiplicações:

◇	◉	★
1	2	3

◉ × 2 = ____
◉ × 3 = ____
◉ × 4 = ____
◉ × 5 = ____
◉ × 6 = ____
◉ × 7 = ____
◉ × 8 = ____
◉ × 9 = ____

★ × 2 = ____
★ × 3 = ____
★ × 4 = ____
★ × 5 = ____
★ × 6 = ____
★ × 7 = ____
★ × 8 = ____
★ × 9 = ____

◇ × 2 = ____
◇ × 3 = ____
◇ × 4 = ____
◇ × 5 = ____
◇ × 6 = ____
◇ × 7 = ____
◇ × 8 = ____
◇ × 9 = ____

◇ × 2 = ____
◉ × 3 = ____
★ × 4 = ____
◇ × 5 = ____
◉ × 6 = ____
★ × 7 = ____
◇ × 8 = ____
◉ × 9 = ____

3º ano — 2A EDIÇÃO

10ª SEMANA

NOME: _____

DATA: ___/___/_____

5. Resolva as multiplicações:

2	8	3	3	3	9	6	5	11	10
×3	×3	×12	×4	×1	×3	×3	×3	×3	×3

12	3	4	3	3	3	8	3	3	1
×3	×11	×3	×2	×3	×5	×3	×6	×10	×3

3	3	3	3	3	6	4	8	3	2
×9	×3	×7	×10	×5	×3	×3	×3	×1	×3

7	2	9	3	3	3	3	3	12	8
×3	×3	×3	×10	×1	×3	×5	×4	×3	×3

3	11	5	7	2	9	8	3	12	3
×4	×3	×3	×3	×3	×3	×3	×10	×3	×1

3	4	3	3	1	7	3	8	10	11
×5	×3	×3	×9	×3	×3	×2	×3	×3	×3

3	3	3	3	3	10	3	3	3	3
×7	×1	×8	×12	×9	×3	×5	×6	×3	×4

10	5	7	3	12	6	3	3	11	3
×3	×3	×3	×3	×3	×3	×8	×2	×3	×4

3	10	3	3	3	1	3	3	8	3
×12	×3	×3	×5	×9	×3	×2	×11	×3	×4

3	1	3	4	3	7	3	3	5	6
×9	×3	×8	×3	×10	×3	×12	×11	×3	×3

3º ano – 2A EDIÇÃO

MULTIPLICAÇÃO DO 4

1. Descubra o termo desconhecido:

2 × 8 = ☐   2 × 6 = ☐   2 × 5 = ☐

2 × 1 = ☐   2 × 9 = ☐   2 × 3 = ☐

2 × 4 = ☐   2 × 0 = ☐   2 × 10 = ☐

---

4 × 9 = ☐   4 × 6 = ☐   4 × 0 = ☐

4 × 4 = ☐   4 × 8 = ☐   4 × 5 = ☐

4 × 10 = ☐   4 × 2 = ☐   4 × 7 = ☐

---

2 × ☐ = 8   4 × ☐ = 0   2 × ☐ = 6

4 × ☐ = 20   2 × ☐ = 10   2 × ☐ = 20

2 × ☐ = 16   4 × ☐ = 24   2 × ☐ = 14

11ª SEMANA

NOME: _____

DATA: ____/____/_____

2. Resolva e pinte os resultados:

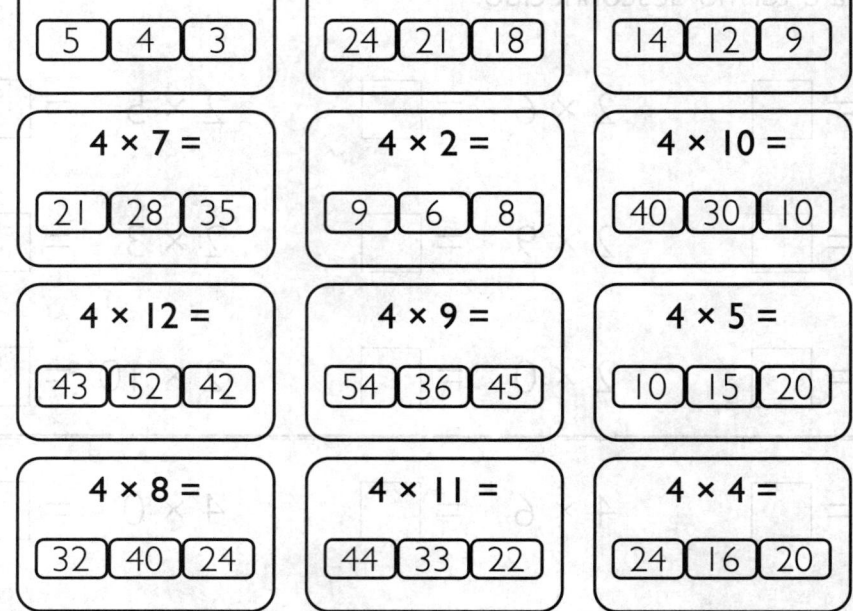

4 × 1 =	4 × 6 =	4 × 3 =
5 4 3	24 21 18	14 12 9

4 × 7 =	4 × 2 =	4 × 10 =
21 28 35	9 6 8	40 30 10

4 × 12 =	4 × 9 =	4 × 5 =
43 52 42	54 36 45	10 15 20

4 × 8 =	4 × 11 =	4 × 4 =
32 40 24	44 33 22	24 16 20

3. Recorte o dominó, cole em papel duro e brinque com seus colegas:

2 × 2	2 × 3	2 × 4	2 × 5	2 × 6	2 × 7	2 × 8	2 × 9
6	9	12	15	18	21	24	27

3 × 2	3 × 3	3 × 4	3 × 5	3 × 6	3 × 7	3 × 8	3 × 9
18	27	36	45	54	63	72	81

4 × 2	4 × 3	4 × 4	4 × 5	4 × 6	4 × 7	4 × 8	4 × 9
16	24	32	40	48	56	64	72

3º ano — 2A EDIÇÃO

NOME: _____

DATA: ____/____/_____

11ª SEMANA

4. Complete o quadro:

Adição	Multiplicação	Total
	4 × 1	
2 + 2 + 2 + 2		
	4 × 3	
	4 × 4	
5 + 5 + 5 + 5		
	4 × 6	
	4 × 7	
8 + 8 + 8 + 8		
	4 × 9	
	4 × 10	

3º ano – 2A EDIÇÃO

11ª SEMANA

NOME: _____

DATA: ___/___/_____

5. Resolva as multiplicações:

C	D	U
	4	4
×		4

C	D	U
5	2	3
×		3

C	D	U
6	1	2
×		4

C	D	U
7	2	1
×		2

C	D	U
8	1	1
×		2

C	D	U
9	1	1
×		2

C	D	U
1	0	1
×		4

C	D	U
5	2	1
×		3

C	D	U
3	0	0
×		4

C	D	U
	5	0
×		4

C	D	U
1	0	0
×		2

C	D	U
2	0	0
×		3

3º ano — 2A EDIÇÃO

NOME: _____

DATA: ___/___/_____

12ª SEMANA

MULTIPLICAÇÃO DO 5

1. Resolva e pinte os resultados:

| 5 × 1 = | 5 × 6 = | 5 × 3 = |
| 9 4 5 | 24 18 30 | 10 15 21 |

| 5 × 7 = | 5 × 2 = | 5 × 10 = |
| 25 35 42 | 10 20 8 | 50 45 40 |

| 5 × 12 = | 5 × 9 = | 5 × 5 = |
| 64 72 60 | 45 40 35 | 15 25 20 |

| 5 × 8 = | 5 × 11 = | 5 × 4 = |
| 35 40 45 | 63 54 55 | 20 15 24 |

3º ano — 2A EDIÇÃO

12ª SEMANA

NOME: _____

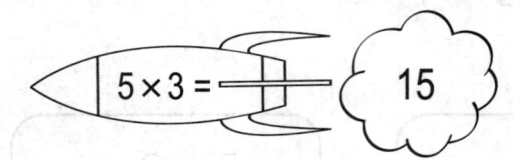

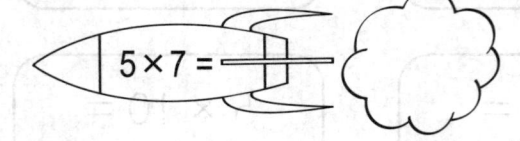

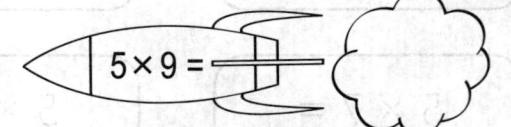

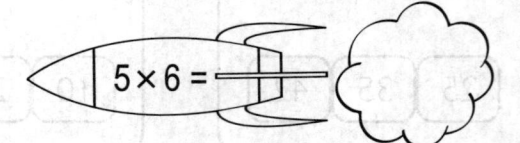

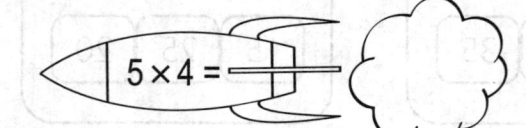

DATA: ___/___/_____

2. Escreva o resultado na fumaça do jato.

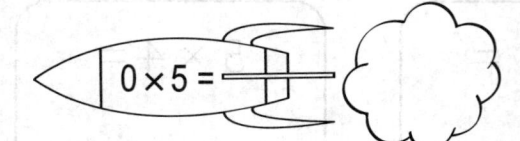

- 5 × 3 = 15
- 10 × 5 =
- 5 × 5 =
- 5 × 1 =
- 5 × 7 =
- 5 × 9 =
- 2 × 5 =
- 5 × 6 =
- 6 × 5 =
- 3 × 5 =
- 5 × 4 =
- 5 × 8 =
- 0 × 5 =
- 7 × 5 =
- 8 × 5 =
- 5 × 10 =

3º ano — 2A EDIÇÃO

NOME: _____

DATA: ____/____/_____

12ª SEMANA

3. Resolva as multiplicações.

× 5
5 × 0 =
5 × 1 =
5 × 2 =
5 × 3 =
5 × 4 =
5 × 5 =
5 × 6 =
5 × 7 =
5 × 8 =
5 × 9 =
5 × 10 =

```
  32        14        39
×  5      ×  5      ×  5
```

```
  41       122        61
×  5      ×  5      ×  5
```

```
 251       142       503
×  5      ×  5      ×  5
```

```
  46       345       204
×  5      ×  5      ×  5
```

3º ano – 2A EDIÇÃO

12ª SEMANA

NOME: _____

DATA: ____/____/_____

4. Resolva as multiplicações, recorte as figuras e monte a imagem conforme o resultado. Depois, faça uma bonita pintura.

×	3	4
5		
2		
9		
6		
3		

36 · 6
18 · 15
27 · 8
9 · 20
24 · 12

3º ano — 2A EDIÇÃO

NOME: _____

DATA: ____/____/_____

12ª SEMANA

5. Descubra o segredo e realize as multiplicações:

🎩 = 3   🐕 = 4   🎈 = 5

🐕 × 8 = ☐   ☐ × 🎈 = 35   🎩 × 4 = ☐

🎈 × 6 = ☐   7 × 🎩 = ☐   🐕 × 4 = ☐

☐ × 🎈 = 10   9 × 🐕 = ☐   9 × 🎩 = ☐

MULTIPLICAÇÃO DO 6

1. Resolva as roletas da multiplicação:

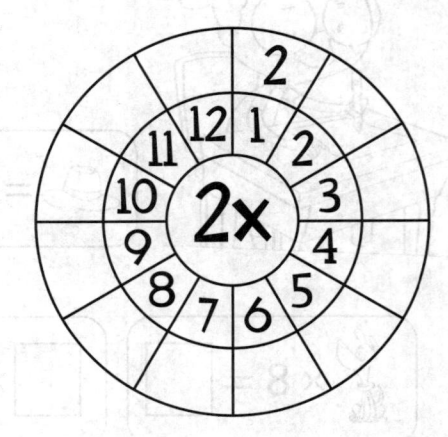

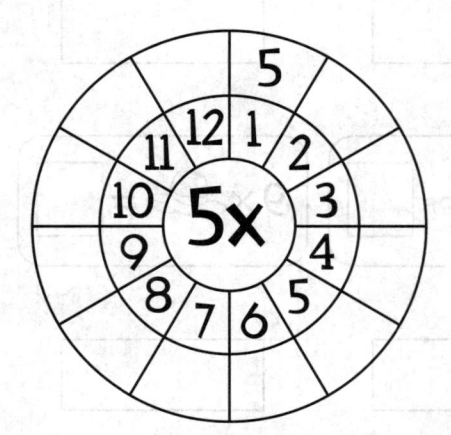

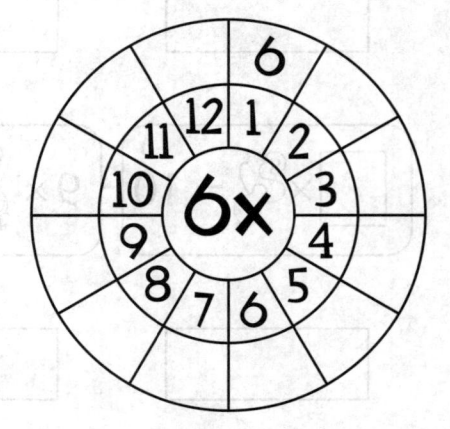

NOME: _____

DATA: ___/___/_____

13ª SEMANA

2. Multiplicação divertida. Pinte cada número da roleta de uma cor, faça as multiplicações e pinte os sorvetes com os resultados da multiplicação realizada.

3º ano – 2A EDIÇÃO

61

13ª SEMANA

NOME: _____

DATA: ___/___/_____

3. Resolva as multiplicações, pinte cada retângulo de uma cor e, depois, pinte as nuvens com as respectivas cores dos resultados.

75 × 6	25 × 6	98 × 3	23 × 5	36 × 6
54 × 6	39 × 3	87 × 6	88 × 4	45 × 5
89 × 6	32 × 3	75 × 4	56 × 5	38 × 6

534 — 228 — 522 — 115 — 324 — 216 — 150 — 352 — 294 — 117 — 96 — 450 — 225 — 300 — 280

NOME: _____

DATA: ____/____/_____

13ª SEMANA

4. Resolva com atenção:

	× 6
6 × 0 =	
6 × 1 =	
6 × 2 =	
6 × 3 =	
6 × 4 =	
6 × 5 =	
6 × 6 =	
6 × 7 =	
6 × 8 =	
6 × 9 =	
6 × 10 =	

223
× 6

218
× 6

134
× 6

318
× 6

314
× 6

131
× 6

105
× 6

247
× 6

506
× 6

418
× 6

436
× 6

245
× 6

3º ano — 2A EDIÇÃO

13ª SEMANA

NOME: _____

DATA: ___/___/_____

5. Descubra o termo que falta em cada operação:

6 × 3 = _____	_____ × 6 = 24
1 × 6 = _____	6 × _____ = 0
10 × 6 = _____	6 × _____ = 30
6 × 5 = _____	_____ × 6 = 12
8 × 6 = _____	_____ × 6 = 60
6 × 6 = _____	_____ × 6 = 42
6 × 4 = _____	6 × _____ = 54
7 × 6 = _____	6 × _____ = 36
9 × 6 = _____	_____ × 6 = 48
6 × 0 = _____	6 × _____ = 6
6 × 3 = _____	_____ × 6 = 18
2 × 6 = _____	6 × _____ = 42
6 × 8 = _____	_____ × 6 = 30
6 × 10 = _____	6 × _____ = 60
4 × 6 = _____	_____ × 6 = 54
3 × 6 = _____	6 × _____ = 24
6 × 9 = _____	_____ × 6 = 0
6 × 7 = _____	_____ × 6 = 36
5 × 6 = _____	6 × _____ = 18
6 × 1 = _____	6 × _____ = 48

64   3º ano — 2A EDIÇÃO

MULTIPLICAÇÃO DO 7

1. Faça a multiplicação do 6 e do 7:

☐ × ☐ = ☐   ☐ × ☐ = ☐
☐ × ☐ = ☐   ☐ × ☐ = ☐
☐ × ☐ = ☐   ☐ × ☐ = ☐
☐ × ☐ = ☐   ☐ × ☐ = ☐
☐ × ☐ = ☐   ☐ × ☐ = ☐
☐ × ☐ = ☐   ☐ × ☐ = ☐
☐ × ☐ = ☐   ☐ × ☐ = ☐
☐ × ☐ = ☐   ☐ × ☐ = ☐
☐ × ☐ = ☐   ☐ × ☐ = ☐

14ª SEMANA

NOME: _____

DATA: ___/___/_____

2. Resolva e pinte conforme a legenda:

Amarelo	Roxo	Azul	Verde	Laranja
7 × 7 = ____	10 × 7 = ____	8 × 7 = ____	9 × 7 = ____	5 × 7 = ____
Violeta	Azul	Bege	Preto	Marrom
6 × 7 = ____	4 × 7 = ____	3 × 7 = ____	1 × 7 = ____	2 × 7 = ____

3º ANO — 2A EDIÇÃO

NOME: _____

DATA: ____/____/_____

14ª SEMANA

3. Preencha o quadro abaixo. A multiplicação deverá ser iniciada na vertical, da esquerda para a direita.

×	0	1	2	3	4	5	6	7	8	9	10
1											
2											
3											
4											
5											
6											
7											

4. Complete com o resultado das multiplicações:

5 × 4 = _____   5 × 9 = _____

7 × 8 = _____   2 × 3 = _____

2 × 8 = _____   3 × 8 = _____

3 × 1 = _____   6 × 2 = _____

3º ano – 2A EDIÇÃO

NOME: _____

DATA: ____/____/_____

14ª SEMANA

5. Descubra o termo desconhecido:

7 × 5 = _____	_____ × 7 = 35
2 × 7 = _____	7 × _____ = 14
0 × 7 = _____	7 × _____ = 7
7 × 3 = _____	_____ × 7 = 28
7 × 10 = _____	_____ × 7 = 49
4 × 7 = _____	_____ × 7 = 0
6 × 7 = _____	7 × _____ = 21
7 × 9 = _____	7 × _____ = 42
8 × 7 = _____	_____ × 7 = 56
7 × 6 = _____	7 × _____ = 70
3 × 7 = _____	_____ × 7 = 14
7 × 7 = _____	7 × _____ = 63
5 × 7 = _____	_____ × 7 = 21
7 × 1 = _____	7 × _____ = 56
9 × 7 = _____	_____ × 7 = 7
7 × 2 = _____	7 × _____ = 0
7 × 8 = _____	_____ × 7 = 42
10 × 7 = _____	_____ × 7 = 70
7 × 4 = _____	7 × _____ = 49

68   3º ano — 2A EDIÇÃO

NOME: _____

DATA: ___/___/_____

14ª SEMANA

5. Resolva as multiplicações:

182	260	405	315
× 6	× 6	× 6	× 6

352	291	420	264
× 7	× 6	× 7	× 6

143	307	145	708
× 6	× 7	× 6	× 7

309	501	186	167
× 7	× 6	× 7	× 6

3º ano — 2A EDIÇÃO

NOME: _____

DATA: ___/___/_____

15ª SEMANA

MULTIPLICAÇÃO DO 8

1. Preencha a tabela da multiplicação do 8:

8 × 0 = ☐	10 × 8 = ☐
8 × 1 = ☐	11 × 8 = ☐
8 × 2 = ☐	12 × 8 = ☐
8 × 3 = ☐	9 × 8 = ☐
8 × 4 = ☐	8 × 8 = ☐
8 × 5 = ☐	7 × 8 = ☐
8 × 6 = ☐	6 × 8 = ☐
8 × 7 = ☐	5 × 8 = ☐
8 × 8 = ☐	4 × 8 = ☐
8 × 9 = ☐	3 × 8 = ☐

3º ano — 2A EDIÇÃO

15ª SEMANA

NOME: _____

DATA: ___/___/_____

2. Resolva e ligue ao resultado:

8 × 7	**80**	8 × 6
10 × 8	**32**	8 × 4
8 × 3	**56**	8 × 2
8 × 8	**88**	5 × 8
12 × 8	**72**	8 × 10
8 × 1	**8**	8 × 8
6 × 8	**40**	9 × 8
8 × 5	**64**	3 × 8
1 × 8	**96**	4 × 8
11 × 8	**48**	8 × 9
8 × 12	**24**	8 × 11
7 × 8	**16**	2 × 8

3º ano — 2A EDIÇÃO

15ª SEMANA

NOME: _____

DATA: ___/___/_____

3. Descubra o termo desconhecido:

8 × 3 = ____	____ × 8	= 8
5 × 8 = ____	8 × ____	= 40
2 × 8 = ____	____ × 8	= 64
8 × 0 = ____	8 × ____	= 16
9 × 8 = ____	8 × ____	= 72
8 × 6 = ____	____ × 8	= 32
10 × 8 = ____	____ × 8	= 80
8 × 7 = ____	8 × ____	= 56
8 × 4 = ____	____ × 8	= 24
8 × 8 = ____	8 × ____	= 48
6 × 8 = ____	____ × 8	= 40
1 × 8 = ____	8 × ____	= 0
8 × 5 = ____	____ × 8	= 72
7 × 8 = ____	8 × ____	= 32
8 × 9 = ____	____ × 8	= 48

NOME: _____

DATA: ___/___/_____

15ª SEMANA

4. Preencha a tabela, escreva o resultado, recorte e cole as fichas conforme o resultado e, depois, pinte a figura formada.

×	6	8
1		
3		
5		
7		
9		

30 | 42
54 | 24
56 | 6
18 | 40
8 | 72

3º ano – 2A EDIÇÃO

15ª SEMANA

NOME: _____

DATA: ____/____/_____

5. Observe os números sorteados do bingo. Pinte as pedras e os acertos de cada cartela conforme a legenda.

SOFIA

3 × 1		3 × 10	
	3 × 7		
2 × 7		4 × 8	4 × 3

Vermelho

PEDRO

2 × 4		4 × 5	
	4 × 9		2 × 2
3 × 6		3 × 9	

Amarelo

ANA

3 × 5		4 × 6	
	4 × 7		3 × 1
2 × 1		2 × 3	

Azul

CAIO

4 × 4		2 × 0	
	5 × 5		2 × 5
3 × 3		5 × 10	

Verde

⑥ ⑳ ⑫ ② ⑯ ⑧ ㉚ ㉔ ⑱
㉘ ⓪ ⑩ ④ ⑨ ⑮ ㉗ ⑭ ㊱

A) Quem ganhou a rodada do bingo?
_____

B) Quantas pedras Sofia tirou?
_____

C) Quantas pedras Ana tirou?
_____

D) Quantas pedras Caio tirou?
_____

NOME: _____

DATA: ____/____/_____

15ª SEMANA

E) Complete as cartelas com os resultados de cada participante:

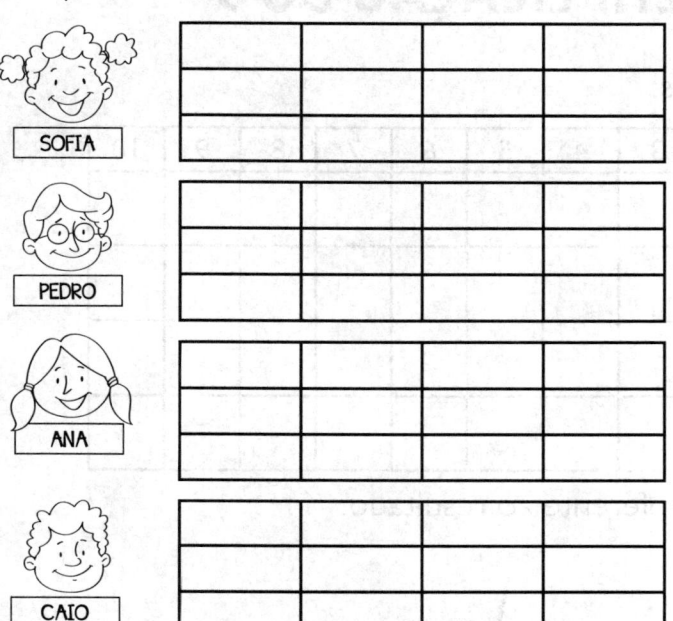

SOFIA

PEDRO

ANA

CAIO

F) Quem fez menos pontos?

_____

G) Escreva o nome das crianças na ordem do maior número de acertos para o menor.

_____

H) Crie um quadro com os números que não saíram no bingo e seus respectivos resultados:

Fato	Resultado

3º ano – 2A EDIÇÃO

MULTIPLICAÇÃO DO 9

16ª SEMANA

NOME: _____

DATA: ___/___/_____

1. Resolva as multiplicações:

×	1	2	3	4	5	6	7	8	9	10
6		12								
7										
8										
9										

2. Escreva a multiplicação referente ao resultado:

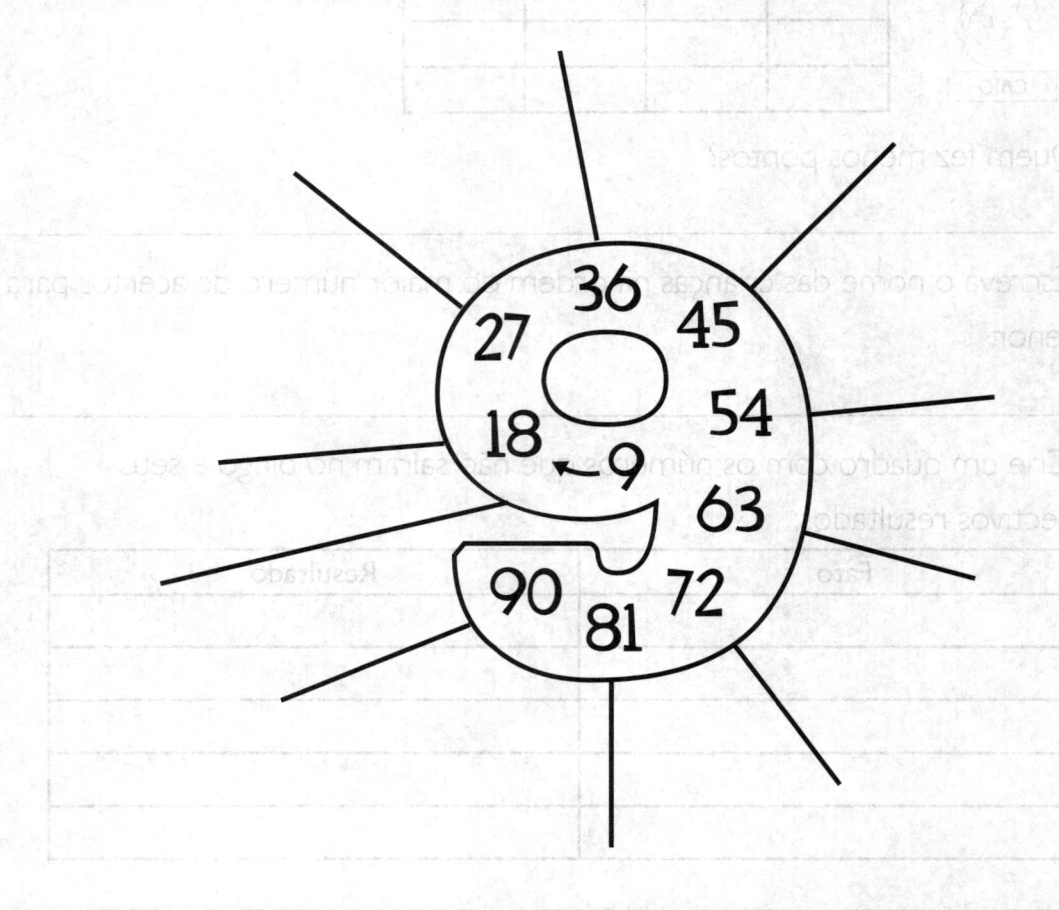

27, 36, 45, 18, 54, 9, 63, 90, 81, 72

NOME: _____

DATA: ___/___/_____

16ª SEMANA

3. Complete a trilha da multiplicação:

$6 \times 6 =$

$7 \times 9 =$

$8 \times 5 =$

$6 \times 9 =$

$0 \times 7 =$

$4 \times 8 =$

$5 \times 6 =$

$4 \times 7 =$

$1 \times 5 =$

$7 \times 8 =$

$0 \times 6 =$

$3 \times 9 =$

$5 \times 5 =$

$2 \times 7 =$

$4 \times 6 =$

$1 \times 9 =$

$\begin{array}{r}8\\ \times 6\\ \hline\end{array}$ $\begin{array}{r}2\\ \times 8\\ \hline\end{array}$ $\begin{array}{r}1\\ \times 7\\ \hline\end{array}$ $\begin{array}{r}5\\ \times 8\\ \hline\end{array}$ $\begin{array}{r}3\\ \times 5\\ \hline\end{array}$ $\begin{array}{r}9\\ \times 7\\ \hline\end{array}$ $\begin{array}{r}3\\ \times 8\\ \hline\end{array}$ $\begin{array}{r}6\\ \times 7\\ \hline\end{array}$ $\begin{array}{r}9\\ \times 5\\ \hline\end{array}$

$\begin{array}{r}8\\ \times 9\\ \hline\end{array}$

$\begin{array}{r}9\\ \times 8\\ \hline\end{array}$ $\begin{array}{r}5\\ \times 9\\ \hline\end{array}$ $\begin{array}{r}7\\ \times 6\\ \hline\end{array}$ $\begin{array}{r}4\\ \times 9\\ \hline\end{array}$ $\begin{array}{r}6\\ \times 5\\ \hline\end{array}$ $\begin{array}{r}2\\ \times 6\\ \hline\end{array}$ $\begin{array}{r}6\\ \times 8\\ \hline\end{array}$

$\begin{array}{r}2\\ \times 5\\ \hline\end{array}$

$\begin{array}{r}0\\ \times 5\\ \hline\end{array}$ $\begin{array}{r}8\\ \times 8\\ \hline\end{array}$ $\begin{array}{r}1\\ \times 6\\ \hline\end{array}$ $\begin{array}{r}8\\ \times 7\\ \hline\end{array}$ $\begin{array}{r}2\\ \times 9\\ \hline\end{array}$ $\begin{array}{r}5\\ \times 7\\ \hline\end{array}$ $\begin{array}{r}0\\ \times 8\\ \hline\end{array}$

$\begin{array}{r}9\\ \times 9\\ \hline\end{array}$

$\begin{array}{r}1\\ \times 8\\ \hline\end{array}$

$\begin{array}{r}7\\ \times 5\\ \hline\end{array}$ $\begin{array}{r}7\\ \times 7\\ \hline\end{array}$ $\begin{array}{r}9\\ \times 6\\ \hline\end{array}$ $\begin{array}{r}3\\ \times 7\\ \hline\end{array}$ $\begin{array}{r}0\\ \times 9\\ \hline\end{array}$ $\begin{array}{r}4\\ \times 5\\ \hline\end{array}$ $\begin{array}{r}3\\ \times 6\\ \hline\end{array}$

3º ano – 2A EDIÇÃO

16ª SEMANA

NOME: _____

DATA: ___/___/_____

4. Encontre o termo desconhecido:

9 × 5 = _____   _____ × 9 = 90

9 × 2 = _____   _____ × 9 = 45

6 × 9 = _____   9 × _____ = 27

9 × 9 = _____   9 × _____ = 0

3 × 9 = _____   9 × _____ = 63

9 × 4 = _____   _____ × 9 = 54

9 × 10 = _____   _____ × 9 = 72

1 × 9 = _____   9 × _____ = 36

9 × 8 = _____   _____ × 9 = 18

9 × 7 = _____   _____ × 9 = 81

4 × 9 = _____   9 × _____ = 90

9 × 6 = _____   9 × _____ = 54

2 × 9 = _____   _____ × 9 = 9

8 × 9 = _____   9 × _____ = 72

7 × 9 = _____   _____ × 9 = 36

NOME: _____

DATA: ____/____/_____

16ª SEMANA

5. Resolva as operações:

× 9
9 × 0 =
9 × 1 =
9 × 2 =
9 × 3 =
9 × 4 =
9 × 5 =
9 × 6 =
9 × 7 =
9 × 8 =
9 × 9 =
9 × 10 =

228
× 9

128
× 9

341
× 9

133
× 9

143
× 9

311
× 9

510
× 9

427
× 9

506
× 9

468
× 9

634
× 9

495
× 9

3º ano – 2A EDIÇÃO

79

MULTIPLICAÇÃO E MAIS MULTIPLICAÇÃO

1. Resolva as multiplicações e descubra a charada:

| O | 25 × 2 | L | 32 × 7 | I | 51 × 8 | A | 76 × 4 | A | 33 × 6 |

| U | 88 × 4 | R | 19 × 5 | N | 27 × 5 | C | 31 × 9 | L | 91 × 7 |

| S | 27 × 9 | E | 37 × 3 | H | 50 × 5 | S | 45 × 6 | N | 87 × 9 |

| P | 25 × 6 | Ã | 24 × 7 | A | 40 × 5 | A | 232 × 3 | N | 39 × 6 |

| E | 39 × 5 | N | 65 × 5 | P | 129 × 3 | U | 66 × 4 | M | 22 × 4 |

| M | 36 × 3 | A | 93 × 9 | M | 63 × 3 | Q | 8 × 4 | U | 64 × 7 |

| O | 86 × 3 |

NOME: _____

DATA: ____/____/_____

17ª SEMANA

Qual é o animal que pode pular mais alto que a casa?

Coloque a letra referente a cada resultado das operações da página 80 e forme a resposta abaixo:

___ ___ ___ ___ ___ ___   ___ ___ ___ ___ ___ ___
135 195 325 250 352 88   304 234 408 108 837 637

___ ___ ___ ___ ___ ___   ___ ___ ___ ___ ___
150 50 95 32 448 111   279 200 243 696 270

___ ___ ___   ___ ___ ___ ___ ___
783 168 258   387 264 224 198 189

2. Escreva a multiplicação iniciando na vertical:

___ × ___ = ___   ___ × ___ = ___   ___ × ___ = ___

___ × ___ = ___   ___ × ___ = ___   ___ × ___ = ___

___ × ___ = ___   ___ × ___ = ___   ___ × ___ = ___

___ × ___ = ___   ___ × ___ = ___   ___ × ___ = ___

3º ano – 2A EDIÇÃO

17ª SEMANA

NOME: _____

DATA: ___/___/_____

3. Resolva as operações e descubra o nome das crianças.

| 1.116 | 1.505 | 445 | 3.780 |

_____ _____ _____ _____

5 × 89	6 × 630	9 × 124	7 × 215
Mateus	Ana	Bia	Bruna

82   3º ano — 2A EDIÇÃO

NOME: _____

DATA: ___/___/_____

17ª SEMANA

4. Faça o que se pede:

Mercadorias	Quantidade de caixas	Unidades por caixa
Suco de uva	9	224
Leite fermentado	8	144
Água	7	153
Isotônico	6	243

Quantos sucos de uva comprou? ☐	_____ sucos de uva.
Quantos leites fermentados e quantas águas? ☐ ☐	Comprou _____ leites fermentados e _____ águas.
Qual é a quantidade de isotônicos? ☐	_____ isotônicos.
Qual é a quantidade de sucos e águas juntos? ☐	_____ juntos.
Qual é a quantidade de leites fermentados e isotônicos juntos? ☐	_____ juntos.
Qual é a quantidade de mercadorias compradas? ☐	_____ mercadorias.

3º ano – 2A EDIÇÃO

17ª SEMANA

NOME: _____

DATA: ____/____/_____

De acordo com os resultados, responda:

A) Qual foi a mercadoria comprada em maior quantidade?
_____

B) Qual foi a mercadoria comprada em menor quantidade?
_____

C) Qual é a diferença entre a quantidade de suco e de água?

D) Qual é a diferença entre a quantidade de sucos e águas e leites fermentados e isotônicos?

E) Quantos isotônicos teriam de ser comprados para ter a mesma quantidade de sucos?

NOME: _____

DATA: ___/___/_____

18ª SEMANA

PROPRIEDADES DA MULTIPLICAÇÃO

A multiplicação tem as seguintes propriedades:

- Fechamento: o produto de dois números é sempre um número natural. Exemplo:

$$5 \times 4 = 20$$

- Comutativa: em que a ordem dos fatores não altera o produto. Exemplo:

$$6 \times 4 = 24 \qquad 4 \times 6 = 24$$

- Elemento neutro: o número 1 é o elemento neutro da multiplicação. Quando o multiplicamos por outro número, o resultado é sempre o número. Exemplo: $7 \times 1 = 7$

- Associativa: o resultado não se altera se associarmos os fatores de diferentes maneiras. Exemplo:

$$3 \times (4 \times 5) = \qquad 4 \times (3 \times 5) =$$
$$3 \times 20 = 60 \qquad 4 \times 15 = 60$$

3º ano – 2ª EDIÇÃO

18ª SEMANA

NOME: _____

DATA: ___/___/_____

1. Ligue corretamente:

9 × 18 = 18 × 9	Elemento neutro
(4 × 9) × 3 = 4 × (9 × 3)	Propriedade associativa
19 × 1 = 1 × 19 = 19	Propriedade fechamento
4 × 3 = 12	Propriedade comutativa

2. Escreva a propriedade aplicada:

A) 3 × 5 × 6 = (3 × 5) × 6 _____

B) 9 + 0 = 9 _____

C) 7 + 6 = 6 + 7 _____

D) 5 × 1 = 5 _____

E) 4 × 7 = 7 × 4 _____

F) 3 × (19 + 6) = (3 × 19) + (3 × 6) _____

3. Dê um exemplo de cada propriedade:

A) Comutativa da multiplicação.

_____

_____

B) Propriedade do fechamento da multiplicação.

_____

_____

C) Propriedade do elemento neutro da multiplicação.

_____

_____

NOME: _____

DATA: ___/___/_____

18ª SEMANA

4. Aplique as propriedades:

Comutativa

9 × 8	3 × 5	8 × 8

Associativa

3 × 6 × 1	9 × 4 × 8	6 × 4 × 3

5. Sophia e Bianca foram ao teatro. No intervalo do espetáculo, lancharam com R$ 10,00. Pediram: 2 refrigerantes, 2 salgados e 2 docinhos.

TABELA:

REFRIGERANTE: R$ 2,50
SALGADO: R$ 0,95
DOCINHO: R$ 0,75

A) Quanto Sophia e Bianca gastaram no lanche?
_____

B) Quanto Sophia e Bianca receberam de troco?
_____

C) Se Sophia e Bianca quisessem comprar mais um docinho para cada uma, o troco daria? Quanto faltaria ou sobraria?
_____

3º ano – 2A EDIÇÃO

18ª SEMANA

NOME: _____

DATA: ____/____/_____

D) Qual é a propriedade aplicada em 8 × 3 = 3 × 8?

( ) Elemento neutro.

( ) Comutativa.

( ) Associativa.

( ) Fechamento.

E) Na sala de Mateus, há 6 fileiras de 18 cadeiras? Quantas cadeiras há na sala?
_____

F) Qual é o valor de **Z** na operação: Z × 7 = 63.
_____

6. Reescreva os fatos completando os termos que faltam:

___ × 7 = 70	4 × 6 = ___	___ × 6 = 36
9 × 5 = ___	9 × 8 = ___	2 × ___ = 12
3 × 6 = ___	6 × 7 = ___	4 × ___ = 32
7 × ___ = 42	___ × 6 = 24	7 × 7 = ___
___ × 6 = 60	7 × 8 = ___	0 × 7 = ___
___ × 8 = 64	___ × 7 = 56	3 × 8 = ___
6 × ___ = 48	___ × 6 = 48	___ × 8 = 16
9 × 7 = ___	5 × 8 = ___	10 × ___ = 80
2 × ___ = 14	___ × 7 = 35	9 × 6 = ___

MULTIPLICAÇÃO POR 10, 100 OU 1.000

Observe as multiplicações:
3 × 10 = 10 + 10 + 10 = **30**
4 × 10 = 10 + 10 + 10 + 10 = **40**
Para multiplicar um número natural por 10, basta acrescentar um zero à direita do número.
2 × 10 = **20**

Se por 10 eu acrescento um zero, como será por **100**?
Observe:
3 × 100 = 100 + 100 + 100 = **300**
2 × 100 = 100 + 100 = **200**
Para multiplicar um número natural por 100, basta acrescentar dois zeros à direita do número. Ex.:
3 × 100 = **300**   2 × 100 = **200**

E por **1.000**?
3 × 1.000 = 1.000 + 1.000 + 1.000 = **3.000**
2 × 1.000 = 1.000 + 1.000 = **2.000**
Para multiplicar um número natural por 1.000, basta acrescentar três zeros à direita do número. Ex.:
3 × 1.000 = **3.000**   2 × 1.000 = **2.000**

19ª SEMANA

NOME: _____

DATA: ___/___/_____

1. Resolva as multiplicações mentalmente.

4 × 100 = _____   7 × 100 = _____   6 × 1.000 = _____

12 × 10 = _____   5 × 1.000 = _____   5 × 100 = _____

9 × 1.000 = _____   3 × 1.000 = _____   9 × 100 = _____

22 × 10 = _____   8 × 100 = _____   11 × 10 = _____

2. Complete o quadro:

22	×		=	2.200
63	×		=	630
2	×		=	200
72	×	100	=	
33	×		=	3.300
6.320	×		=	63.200

3º ano — 2A EDIÇÃO

NOME: _____

DATA: ____/____/_____

19ª SEMANA

3. Resolva as multiplicações:

	× 10	× 100	× 1.000
24			
8			
95			
579			
34			
49			
18			
7			
15			
36			
392			
40			
813			
15			
4			
41			
12			
69			

3º ano – 2A EDIÇÃO

19ª SEMANA

NOME: _____

DATA: ___/___/_____

4. Resolva os problemas:

A) Em um albergue, moram 100 pessoas. Se cada uma faz 3 refeições diárias, quantas refeições serão feitas em um dia?
_____

B) A mensalidade da escola de duda é R$ 500,00 reais. Quanto pagarei em:

6 meses: _____

9 meses: _____

10 meses: _____

C) Em cada caixa cabem 100 biscoitos. Quantos biscoitos caberão em:

45 caixas: _____

123 caixas: _____

10 caixas: _____

D) Se 1 km tem 1.000 metros, quantos metros tem em:

28 km: _____

100 km: _____

75 km: _____

E) Roger recebe R$ 100,00 por semana trabalhada. Quanto receberá por:

4 semanas: _____

8 semanas: _____

12 semanas: _____

18 semanas: _____

22 semanas: _____

MULTIPLICAÇÃO COM REAGRUPAMENTO

1. Resolva:

	32 × 21		54 × 26		64 × 38
	30	2	50	4	60	4
20	600	40	20		80	30		
1		30	6		24	8		

```
   600
    40
    30
 +
┌──────┐
│      │
└──────┘
```

```
    80
 +  24
┌──────┐
│      │
└──────┘
```

```
 +
┌──────┐
│      │
└──────┘
```

| | 24 × 23 | | 41 × 26 | | 52 × 34 |

```
 +            +            +
┌────┐      ┌────┐      ┌────┐
│    │      │    │      │    │
└────┘      └────┘      └────┘
```

NOME: _____

DATA: ___/___/_____

20ª SEMANA

2. Resolva no quadriculado:

	9	3
×	1	2

	7	3
×	2	1

	8	2
×	3	1

	9	2
×	1	3

	8	2
×	1	4

	7	2
×	4	1

	8	1
×	2	3

	7	1
×	3	2

	9	1
×	4	2

20ª SEMANA

3. Agora resolva sem o 0:

	7	3
×	1	3

	8	3
×	1	9

	7	2
×	2	1

	9	3
×	2	1

	8	2
×	2	4

	7	4
×	2	1

	8	4
×	2	3

	9	1
×	3	2

	8	3
×	2	4

3º ano — 2A EDIÇÃO

20ª SEMANA

NOME: _____

DATA: ___/___/_____

4. Agora é com você!

584	199	821	913
× 48	× 63	× 31	× 81

336	881	647	822
× 50	× 98	× 75	× 34

161	716	271	349
× 39	× 39	× 47	× 94

147	869	835	757
× 47	× 11	× 29	× 12

3º ano — 2A EDIÇÃO

DOBRO, TRIPLO, QUÁDRUPLO E QUÍNTUPLO

Para encontrar o **dobro** de um número, basta multiplicá-lo por 2.

Para encontrar o **triplo** de um número, basta multiplicá-lo por 3.

Para encontrar o **quádruplo** de um número, basta multiplicá-lo por 4.

Para encontrar o **quíntuplo** de um número, basta multiplicá-lo por 5.

21ª SEMANA

NOME: _____

DATA: ___/___/_____

1. Calcule:

DOBRO	
11	
60	
26	
16	
41	
32	
18	

TRIPLO	
20	
10	
25	
15	
35	
51	
22	

QUÁDRUPLO	
50	
42	
22	
40	
24	
33	
31	

QUÍNTUPLO	
54	
66	
82	
25	
27	
30	
18	

Espaço para cálculos:

3º ANO — 2A EDIÇÃO

NOME: _____

DATA: ____/____/_____

21ª SEMANA

2. Resolva e dê as respostas:

O dobro de 11 é ☐, que, somando ao triplo de 14, que é ☐, é igual a ☐.

O triplo de 36 é ☐, que, somando ao quádruplo de 12, que é ☐, é igual a ☐.

O quádruplo de 36 é ☐, que, somando ao quíntuplo de 11, que é ☐, é igual a ☐.

O quíntuplo de 12 é ☐, que, somando ao triplo de 14, que é ☐, é igual a ☐.

Espaço para cálculos:

21ª SEMANA

NOME: _____

DATA: ____/____/_____

3. Resolva os problemas:

A) Edson tem 34 figurinhas. Davi tem o quíntuplo de Edson e Caio tem o triplo de Davi. Quantas figurinhas tem cada criança? Quantas figurinhas têm os três juntos?

Edson:
Davi:
Caio:
Os três juntos têm _____ figurinhas.

Quem tem mais figurinhas?

Quantas figurinhas Caio tem a mais que Davi?

Quantas figurinhas Davi tem a mais que Edson?

B) Em uma gincana, participarão três equipes. A equipe amarela tem 156 participantes, a equipe azul, o triplo da amarela, e a equipe vermelha, o dobro da equipe amarela. Quantas pessoas estão participando da gincana?

Equipe amarela: _____

Equipe azul: _____

Equipe vermelha: _____

Total de pessoas: _____

- Quantas pessoas a equipe azul tem a mais que a vermelha?

DIVISÃO DO 2

1. Observe os desenhos e arme as divisões:

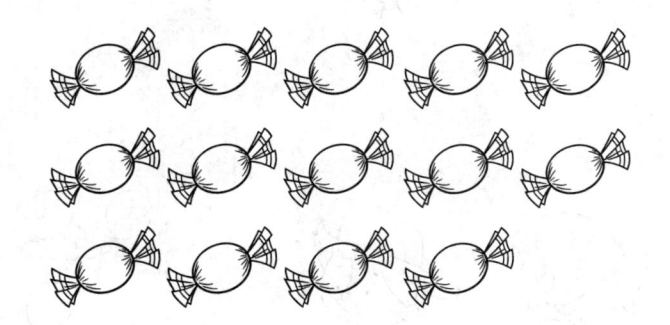

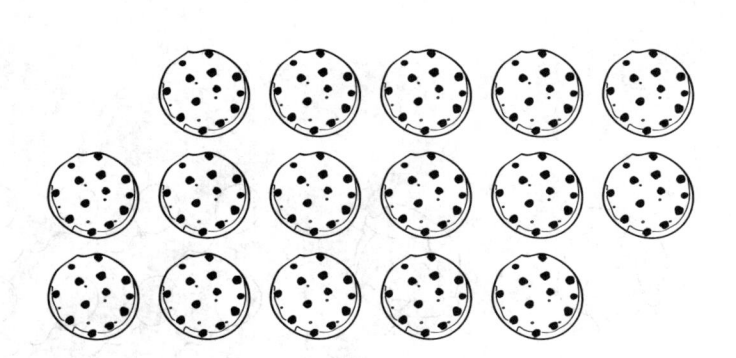

22ª SEMANA

NOME: _____

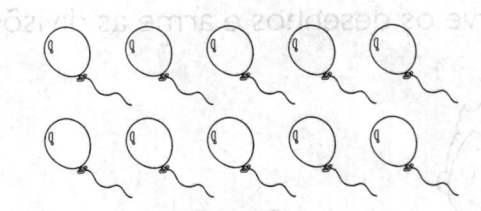

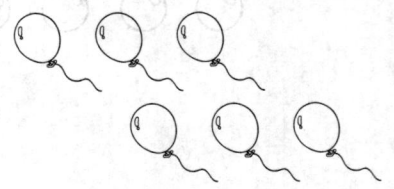

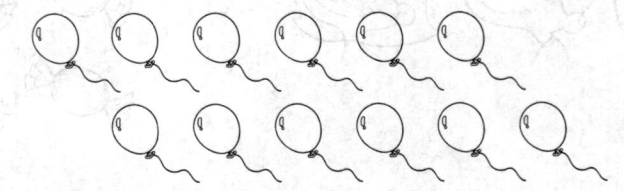

DATA: ___/___/_____

NOME: _____

DATA: ___/___/_____

22ª SEMANA

2. Resolva a tabuada da divisão do 2:

$2 \div 2 =$ ○○

$4 \div 2 =$ ○○○○

$6 \div 2 =$ ○○○○○○

$8 \div 2 =$ ○○○○○○○○

$10 \div 2 =$ ○○○○○ / ○○○○○

$12 \div 2 =$ ○○○○○○ / ○○○○○○

$14 \div 2 =$ ○○○○○○○ / ○○○○○○○

$16 \div 2 =$ ○○○○○○○○ / ○○○○○○○○

$18 \div 2 =$ ○○○○○○○○○ / ○○○○○○○○○

$20 \div 2 =$ ○○○○○○○○○○ / ○○○○○○○○○○

3º ano — 2A EDIÇÃO

103

22ª SEMANA

NOME: _____

DATA: ____/____/_____

3. Consulte a tabela e resolva a divisão do 2:

20 | 2

22 | 2   36 | 2   14 | 2

24 | 2   46 | 2   64 | 2

30 | 2   32 | 2   18 | 2

```
2 : 2 = 1
4 : 2 = 2
6 : 2 = 3
8 : 2 = 4
10 : 2 = 5
12 : 2 = 6
14 : 2 = 7
16 : 2 = 8
18 : 2 = 9
```

3º ano — 2A EDIÇÃO

4. Resolva as divisões e monte o quebra-cabeça:

48	36	28	22
24	14	32	42

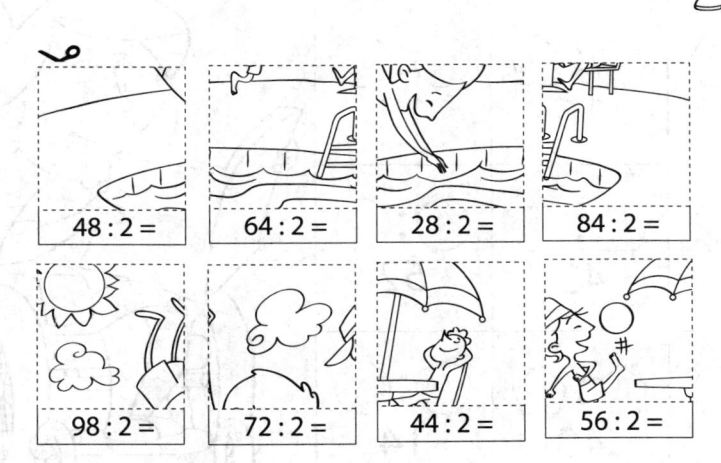

48 : 2 =   64 : 2 =   28 : 2 =   84 : 2 =

98 : 2 =   72 : 2 =   44 : 2 =   56 : 2 =

Espaço para cálculos:

22ª SEMANA

NOME: _____

DATA: ____/____/_____

5. Descubra a divisão. Todos os divisores são 2.

⬡ : ②	⬠ : ⬠	◯ : ◯
16	18	36
⬡ : ⬡	⬠ : ⬠	◯ : ◯
10	24	32
⬡ : ⬡	⬠ : ⬠	◯ : ◯
44	16	12
⬡ : ⬡	⬠ : ⬠	◯ : ◯
26	42	52
⬡ : ⬡	⬠ : ⬠	◯ : ◯
8	40	14

Espaço para cálculos:

3º ano — 2A EDIÇÃO

DIVISÃO DO 3

1. Observe os conjuntos e realize as divisões:

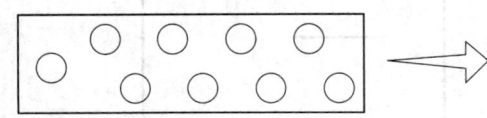

9 : 3 = _____

12 : ____ = ____

18 : ____ = ____

____ : ____ = ____

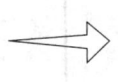

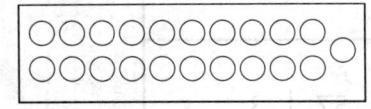

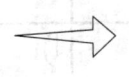

2. Troque os resultados por letras e forme a frase:

0	1	2	3	4	5	6	7	8	9	10
A	C	D	E	G	I	M	O	S	T	U

9 : 3 =	100 : 10 =	

12 : 3 =	21 : 3 =	24 : 3 =	27 : 3 =	21 : 3 =

6 : 3 =	9 : 3 =	

18 : 3 =	0 : 0 =	27 : 3 =	9 : 3 =	18 : 3 =
0 : 0 =	27 : 3 =	15 : 3 =	3 : 3 =	0 : 0 =

Frase: _____

NOME: _____

23ª SEMANA

DATA: ____/____/_____

3. Faça a tabela da divisão do 3. Depois, resolva as divisões.

A) 18	3	B) 21	3	C) 36	3
D) 96	3	E) 129	3	F) 81	3
G) 72	3	H) 87	3	I) 57	3

108   3º ano — 2A EDIÇÃO

NOME: _____

DATA: ____/____/_____

23ª SEMANA

4. Caio e Davi jogaram bingo. Caio teve o maior número de acertos e fechou a cartela. Davi não teve a mesma sorte.

B	I	N	G	O
5	18	33	48	64
12	21	31	51	68
14	30	♠	60	71
13	16	44	46	61
11	27	41	49	73

Caio marcou de vermelho na cartela todas as divisões do três.

Davi marcou de amarelo na cartela todas as divisões do dois.

A) Resolva as divisões e pinte no quadro os resultados de acordo com as cores de Caio e de Davi.

28 : 2 =   60 : 3 =   88 : 2 =

48 : 3 =   24 : 2 =   144 : 3 =

128 : 2 =   90 : 3 =   33 : 3 =

81 : 3 =   99 : 3 =   120 : 2 =

92 : 2 =   153 : 3 =   136 : 2 =

3º ano — 2A EDIÇÃO

23ª SEMANA

NOME: _____

DATA: ____/____/_____

Espaço para cálculos:

B) Quais foram os números que Caio tirou?
_____

C) Quais foram os números que Davi tirou?
_____

NOME: _____

DATA: ___/___/_____

24ª SEMANA

DIVISÃO DO 4

1. Resolva as divisões e escreva a quem pertencem os objetos:

| Júlia | Marcos | Pierre | Rui |

16 : 4 =

36 : 4 =

4 : 4 =

28 : 4 =

3º ano — 2A EDIÇÃO

111

24ª SEMANA

NOME: _____

DATA: ___/___/_____

2. Descubra o termo que falta e, em seguida, faça a divisão do 4.

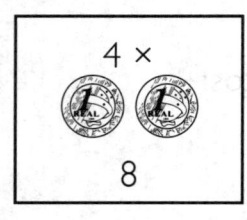

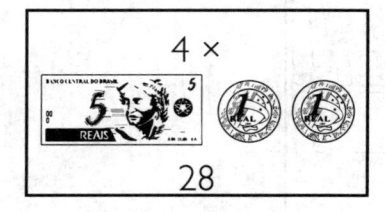

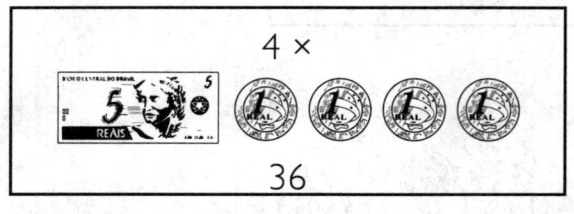

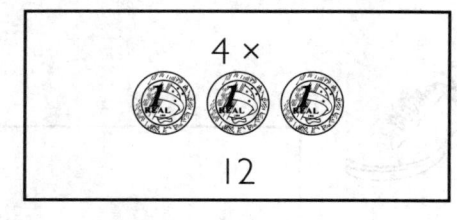

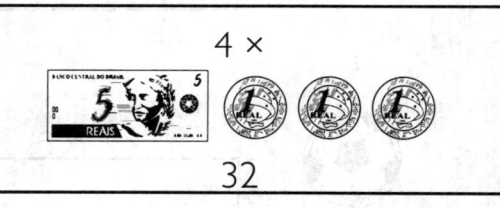

4 × 🪙🪙
8

4 × 💵🪙🪙
28

4 × 💵🪙🪙🪙🪙
36

4 × 💵🪙
24

4 × 🪙🪙🪙
12

4 × 💵🪙🪙🪙
32

NOME: _____

DATA: ____/____/____

24ª SEMANA

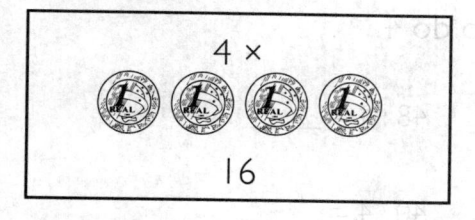

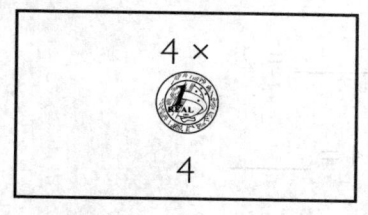

4 ×
16

4 ×
20

4 ×
4

3. Resolva as divisões, fazendo os cálculos.

: 2	
24	
36	
42	
78	

: 3	
18	
15	
63	
96	

: 4	
76	
44	
160	
52	

3º ano — 2A EDIÇÃO

113

4. Descubra o termo desconhecido da divisão do 4.

24 : 4 = _____		48 : 4 = _____

8 : 4 = _____		40 : 4 = _____

44 : 4 = _____		24 : 4 = _____

16 : 4 = _____		20 : 4 = _____

_____ : 4 = 6		8 : _____ = 2

32 : _____ = 8		24 : 4 = _____

40 : 4 = _____		24 : _____ = 6

36 : 4 = _____		_____ : 4 = 4

_____ : 4 = 5		_____ : 4 = 7

NOME: _____

DATA: ____/____/_____

24ª SEMANA

5. Pinte o resultado na loteria da divisão.

68 ÷ 4 =	21	17	15
69 ÷ 3 =	23	48	36
48 ÷ 4 =	29	32	12
28 ÷ 2 =	14	24	25
60 ÷ 4 =	12	10	15
126 ÷ 3 =	50	42	48
100 ÷ 4 =	25	60	65
32 ÷ 4 =	501	8	502
72 ÷ 2 =	9	12	36
105 ÷ 3 =	12	35	13
64 ÷ 4 =	16	17	22
124 ÷ 4 =	21	31	24
168 ÷ 4 =	85	87	42
36 ÷ 2 =	29	18	30
93 ÷ 3 =	40	31	35
72 ÷ 4 =	18	16	12

3º ano – 2A EDIÇÃO

6. Faça a tabela da divisão do 4 e resolva as divisões.

A) 124	4	B) ___	4	C) 48	4
			12		

D) 36	4	E) ___	4	F) 72	4
			8		

G) ___	4	H) 412	4	I) ___	4
	16				26

DIVISÃO DO 5

1. Complete com os algarismos que faltam.

20 : 5 = ◯

◯ : 5 =

40 : ◯ =

5 : ◯ =

25 : 5 = ◯

50 : 5 = ◯

◯ : 5 =

35 : ◯ =

◯ : 5 =

◯ : 5 =

◯ : 5 =

45 : ◯ =

◯ : 5 =

◯ : 5 =

15 : 5 = ◯

30 : ◯ =

20 : 5 = ◯

◯ : 5 = 1

25ª SEMANA

NOME: _____

DATA: ____/____/_____

2. Resolva as divisões a seguir.

Espaço para cálculos:

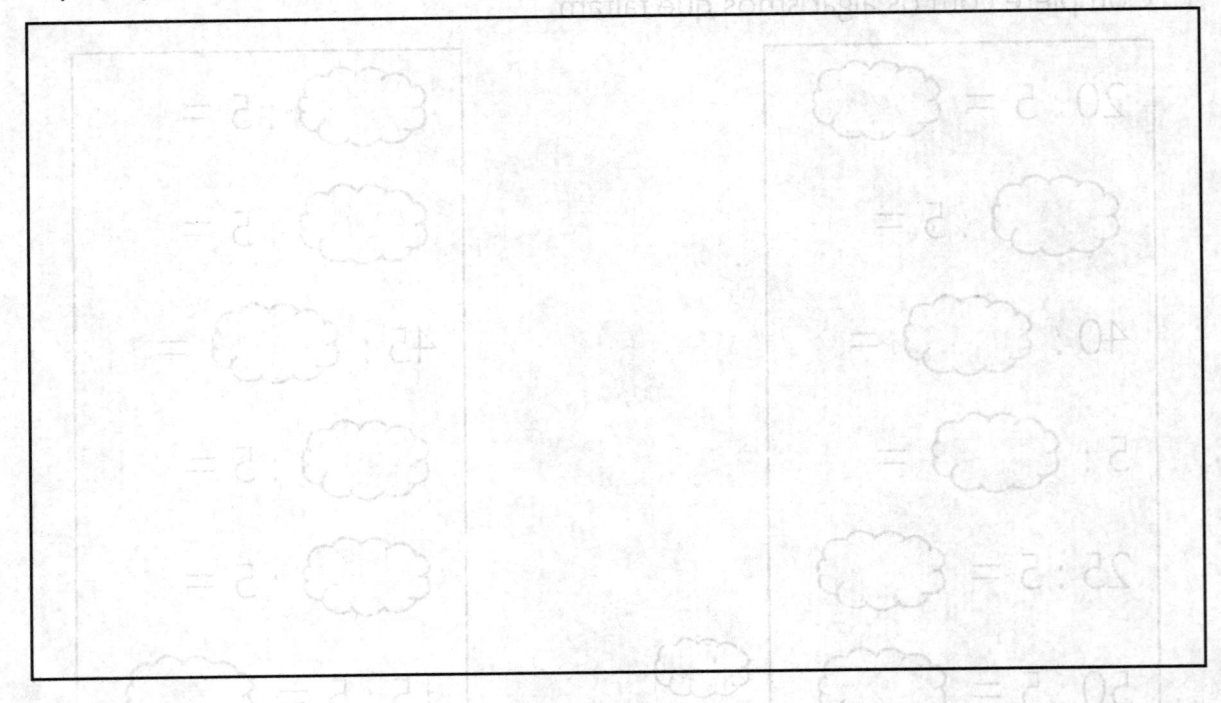

:	3	5
30		
120		
15		
75		
60		

3º ano — 2A EDIÇÃO

NOME: _____

DATA: ___/___/_____

25ª SEMANA

3. Faça a tabela da divisão do 5 e resolva as divisões.

85 | 5   75 | 5   58 | 5   18 | 5

61 | 5   24 | 5   31 | 5   94 | 5

: 5
5 : 5 =
10 : 5 =
15 : 5 =
20 : 5 =
25 : 5 =
30 : 5 =
35 : 5 =
40 : 5 =
45 : 5 =
50 : 5 =

4. Resolva os problemas:

3º ano — 2A EDIÇÃO

25ª SEMANA

NOME: _____

DATA: ____/____/_____

A) Ronaldo tem 125 figurinhas. Quer dividir entre seus 5 sobrinhos. Quantas figurinhas receberá cada sobrinho?

OPERAÇÃO

RESPOSTA: _____

B) Daniel comprou uma televisão e pagou em 5 parcelas iguais. A televisão custou R$ 980,00. Qual foi o valor de cada parcela?

OPERAÇÃO

RESPOSTA: _____

C) A divisão 149 : 5 é exata? Qual é o valor do quociente? E o valor do resto?

OPERAÇÃO

RESPOSTA: _____

DIVISÃO DO 6

1. Descubra o termo que falta da divisão.

☐ : 6 = 8   ☐ : 6 = 4
☐ : 6 = 2   12 : 6 = ☐
18 : 6 = ☐   ☐ : 6 = 1
☐ : 6 = 6   ☐ : 6 = 9
30 : 6 = ☐   24 : 6 = ☐
42 : 6 = ☐   ☐ : 6 = 5

2. Resolva as divisões, pinte cada divisão de uma cor e, depois, pinte os resultados com as mesmas cores da divisão.

6	10	7
5	8	1
3	2	9
	4	

24 : 6 =	60 : 6 =	30 : 6 =	42 : 6 =	12 : 6 =
18 : 6 =	54 : 6 =	48 : 6 =	6 : 6 =	36 : 6 =

3º ano — 2A EDIÇÃO

121

3. Por meio das dicas, descubra a divisão e o nome de cada criança.

DIVISÃO:	DIVISÃO:	DIVISÃO:	DIVISÃO:	DIVISÃO:
NOME:	NOME:	NOME:	NOME:	NOME:

A) Laura é a que tem o menor número no quociente.

B) Pedro é o aluno que tem no quociente um número formado por 3 ordens.

C) Beatriz usa óculos, não está de rabo de cavalo e tem como resultado um número ímpar.

D) Júnior não está de boné e tem nas unidades o número 4.

E) Maria está de calça, e o resultado da divisão é formado por uma dezena e seis unidades.

Resolva as divisões:

126 : 6	612 : 6	186 : 6	84 : 6	96 : 6

NOME: _____

DATA: ____/____/_____

26ª SEMANA

4. Faça a tabela da divisão do 6 e resolva as divisões.

86 | 6   58 | 6   38 | 6   57 | 6

45 | 6   88 | 6   59 | 6   32 | 6

: 6
=
=
=
=
=
=
=
=
=
=

26ª SEMANA

NOME: _____

DATA: ____/____/_____

5. Resolva as divisões:

8 |4__   49 |5__   807 |6__

150 |4__   507 |6__   726 |4__

821 |6__   960 |5__   462 |4__

607 |5__   729 |6__   503 |5__

710 |6__   512 |3__   915 |3__

DIVISÃO DO 7

1. Descubra o termo que falta da divisão do 7.

14 : ___ = ___	7 : ___ = ___
___ : 7 = 2	___ : 7 = 10
___ : 7 = 5	63 : ___ = ___
56 : ___ = ___	___ : 7 = 7
___ : 7 = 9	21 : ___ = ___
___ : 7 = 4	___ : 7 = 8
28 : ___ = ___	35 : ___ = ___
___ : 7 = 1	___ : 7 = 3
___ : 7 = 11	42 : 7 = ___
70 : ___ = ___	___ : 7 = 6

27ª SEMANA

NOME: _____

DATA: ___/___/_____

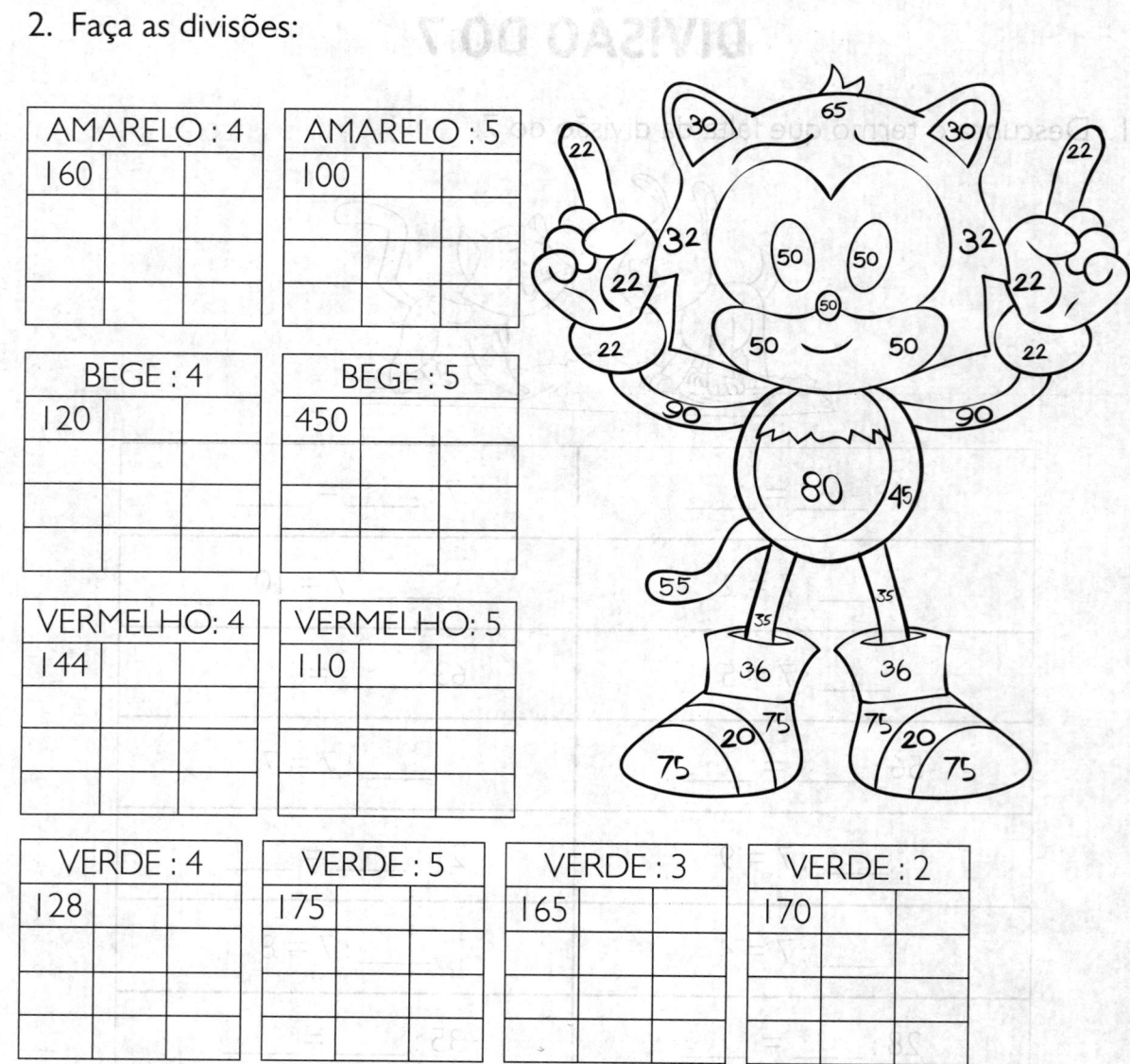

2. Faça as divisões:

AMARELO : 4		
160		

AMARELO : 5		
100		

BEGE : 4		
120		

BEGE : 5		
450		

VERMELHO : 4		
144		

VERMELHO : 5		
110		

VERDE : 4		
128		

VERDE : 5		
175		

VERDE : 3		
165		

VERDE : 2		
170		

MARROM : 2		
120		

AZUL : 2		
172		

VERDE : 2		
130		

3º ano — 2A EDIÇÃO

NOME: _____

DATA: ___/___/_____

27ª SEMANA

3. Transforme as multiplicações em divisões.

Multiplicação	Divisão	Resposta
4 × 3		
5 × 2		
2 × 5		
3 × 4		
10 × 4		
2 × 7		
9 × 2		
4 × 4		
6 × 3		
10 × 5		
5 × 5		
8 × 3		
12 × 2		
5 × 6		
7 × 3		
6 × 4		

3º ano – 2A EDIÇÃO

27ª SEMANA

NOME: _____

DATA: ___/___/_____

4. Resolva as divisões e pinte o caminho que leva Chapeuzinho Vermelho até a casa dela.

A) 203 : 7   E) 266 : 7   I) 399 : 7   M) 133 : 7   Q) 455 : 7   U) 119 : 7
B) 259 : 7   F) 308 : 7   J) 301 : 7   N) 154 : 7   R) 168 : 7
C) 189 : 7   G) 413 : 7   K) 616 : 7   O) 91 : 7   S) 84 : 7
D) 161 : 7   H) 469 : 7   L) 336 : 7   P) 175 : 7   T) 182 : 7

Espaço para cálculos:

		8	11	11	1	86	17	28
		29	37	27	23	3	10	9
		9	5	20	38	4	5	12
1	1	19	20	28	44	59	67	57
16	90	14	99	12	11	66	7	43
17	66	10	4	21	10	9	48	88
18	19	20	6	25	13	22	19	4
86	11	21	15	65	4	20	11	99
7	66	7	86	24	90	6		
5	20	16	2	12	26	17		
66	10	9	9	6	20	99		

3º ANO — 2A EDIÇÃO

DIVISÃO DO 8

1. Faça a tabela da divisão do 8 e complete o quadro com os termos que faltam.

32 : 8 = ____

____ : ____ = 1

8 : ____ = ____

24 : ____ = ____

____ : ____ = 4

____ : 8 = 6

48 : ____ = 6

72 : ____ = ____

____ : 8 = 7

____ : 8 = 5

____ : 8 = 3

56 : ____ = ____

16 : 8 = 2

40 : ____ = ____

NOME: _____

28ª SEMANA

DATA: ___/___/_____

2. Resolva as divisões.

2 40 8 4 5	3 24 8 4 6	2 32 8 4
___ ÷ ___ = ___ ___ ÷ ___ = ___ ___ ÷ ___ = ___ ___ ÷ ___ = ___	___ ÷ ___ = ___ ___ ÷ ___ = ___ ___ ÷ ___ = ___ ___ ÷ ___ = ___	___ ÷ ___ = ___ ___ ÷ ___ = ___ ___ ÷ ___ = ___ ___ ÷ ___ = ___
3 48 6 8 4	2 56 8 4 7	2 64 8 4
___ ÷ ___ = ___ ___ ÷ ___ = ___ ___ ÷ ___ = ___ ___ ÷ ___ = ___	___ ÷ ___ = ___ ___ ÷ ___ = ___ ___ ÷ ___ = ___ ___ ÷ ___ = ___	___ ÷ ___ = ___ ___ ÷ ___ = ___ ___ ÷ ___ = ___ ___ ÷ ___ = ___
4 16 8 2	3 72 8 4 6	2 80 8 4 5
___ ÷ ___ = ___ ___ ÷ ___ = ___ ___ ÷ ___ = ___ ___ ÷ ___ = ___	___ ÷ ___ = ___ ___ ÷ ___ = ___ ___ ÷ ___ = ___ ___ ÷ ___ = ___	___ ÷ ___ = ___ ___ ÷ ___ = ___ ___ ÷ ___ = ___ ___ ÷ ___ = ___

3º ano — 2A EDIÇÃO

3. Faça a tabela da divisão do 8 e resolva as divisões.

503 | 8

529 | 8   340 | 8   5.012 | 8

247 | 8   650 | 8   220 | 8

2.605 | 8   3.170 | 8   1.602 | 8

28ª SEMANA

NOME: _____

DATA: ____/____/_____

4. Resolva as divisões e descubra o nome dos músculos.

	Meu corpo é formado por						
	: 8		: 8		: 7		: 6
864		968		973		972	
R =		R =		R =		R =	
	: 5		: 4		: 3		: 2
975		972		975		974	
R =		R =		R =		R =	
	: 8		: 6		: 4		: 2
768		768		768		768	
R =		R =		R =		R =	

128 Dorsal   108 Músculos   139 Bíceps   487 Quadríceps

243 Abdominal   384 Ligamentos   162 Trapézio   325 Glúteo

121 Tríceps   195 Peitoral   96 Gêmeo inferior   192 Tendão

3º ano — 2A EDIÇÃO

DIVISÃO DO 9

1. Resolva as divisões e descubra a charada.

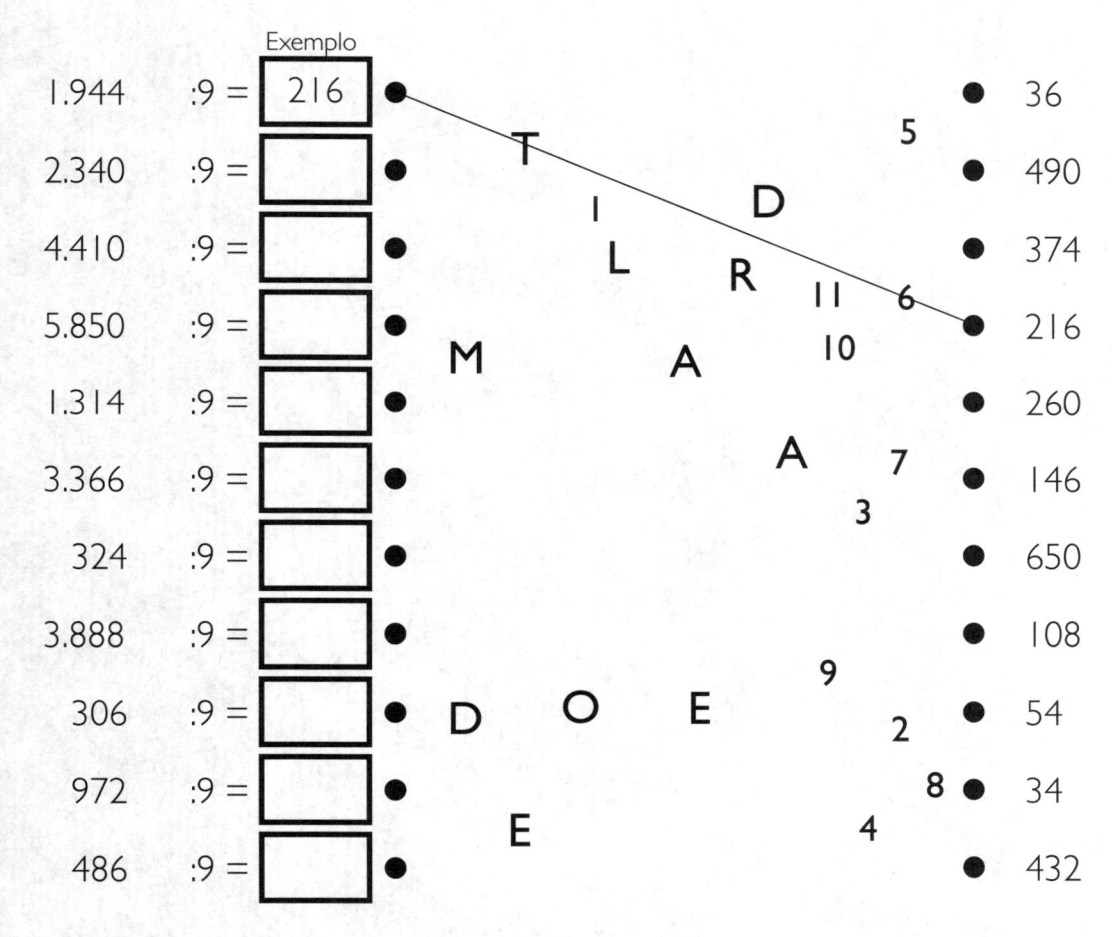

		Exemplo	
1.944	:9 =	216	•
2.340	:9 =		•
4.410	:9 =		•
5.850	:9 =		•
1.314	:9 =		•
3.366	:9 =		•
324	:9 =		•
3.888	:9 =		•
306	:9 =		•
972	:9 =		•
486	:9 =		•

• 36
• 490
• 374
• 216
• 260
• 146
• 650
• 108
• 54
• 34
• 432

De que é o sanduíche que João está comendo?

		1	2					
3	4	5	T (6)	7	8	9	10	11

3º ano – 2A EDIÇÃO

133

34ª SEMANA

NOME: _____

DATA: ____/____/_____

Espaço para cálculos do exercício anterior.

NOME: _____

DATA: ____/____/_____

34ª SEMANA

2. Resolva as divisões e monte a figura de acordo com o resultado.

108 : 9 = 288 : 8 =	216 : 9 = 384 : 8 =	135 : 9 = 144 : 8 =
189 : 9 = 88 : 8 =	162 : 9 = 312 : 8 =	243 : 9 = 240 : 8 =
27 : 9 = 336 : 8 =	189 : 9 = 360 : 8 =	270 : 9 = 408 : 8 =
513 : 9 = 48 : 8 =	567 : 9 = 192 : 8 =	576 : 8 = 162 : 9 =
675 : 9 = 216 : 8 =	621 : 9 = 168 : 8 =	540 : 9 = 72 : 8 =
756 : 9 = 120 : 8 =	810 : 9 = 288 : 8 =	600 : 8 = 297 : 9 =
768 : 8 = 210 : 7 =	837 : 9 = 96 : 8 =	891 : 9 = 168 : 7 =

3º ano – 2A EDIÇÃO

34ª SEMANA

NOME: _____

DATA: ___/___/_____

Espaço para cálculos.

NOME: _____

DATA: ____/____/_____

34ª SEMANA

72 18	30 51	75 27
12 36	15 18	75 33
90 36	93 12	24 48
57 6	96 30	2 11
27 30	3 42	60 9
69 21	99 24	84 15
18 39	21 45	63 24

3º ano – 2A EDIÇÃO

137

30ª SEMANA

NOME: _____

DATA: ___/___/_____

DIVISÃO POR 10, 100, 1.000

1. Complete os quadros da divisão:

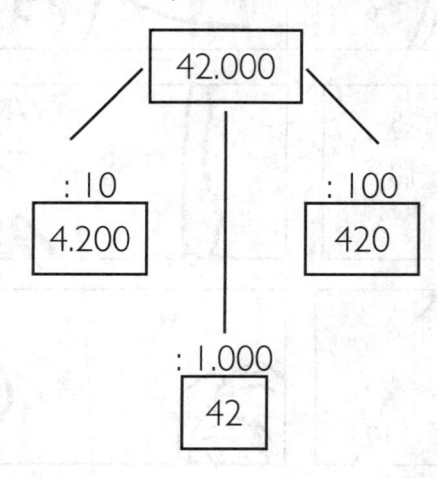

```
        42.000
       /   |   \
     :10  :100  
   4.200   420
         :1.000
           42
```

4.200	:	10	
6.300	:	100	
45.000	:	1.000	
33.300	:	100	
63.200	:	10	
7.600	:	100	

	:	10	760
6.300	:		630
6.320	:	10	
23.000	:	100	
	:	10	420
57.000	:		57

A) Você fez cálculos para completar o quadro?
_____

B) Como você fez os cálculos?
_____

NOME: _____

DATA: ____/____/_____

30ª SEMANA

2. Resolva as divisões por 10, 100 e 1.000.

÷	10	100	1.000
14.000			
20.000			
4.000			
12.000			

3. Resolva sem cálculos.

110 : 10 = _____

64.000 : 1.000 = _____

25.000 : 1.000 = _____

1.700 : 100 = _____

200 : 100 = _____

2.400 : 10 = _____

3º ano – 2A EDIÇÃO

DIVISÃO COM DOIS ALGARISMOS NO DIVISOR

1. Observe o modelo e faça as divisões.

    115 | 23

    ```
     23
    + 23
     46
    + 23
     69        5 vezes o número 23.
    + 23
     92
    + 23
    115
    ```

    104 | 13

NOME: _____

DATA: ____/____/_____

31ª SEMANA

418 | 59
‾‾‾‾

216 | 35
‾‾‾‾

3º ano – 2A EDIÇÃO

31ª SEMANA

NOME: _____

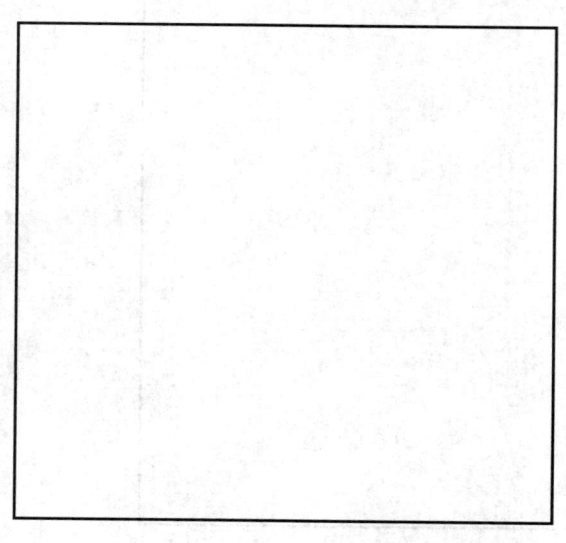

DATA: ___/___/___

2. Transforme as expressões em divisões.

7 × 25 + 3 = 178

9 × 18 + 5 = 167

8 × 49 + 7 = 399

6 × 93 + 2 = 560

NOME: _____

DATA: ___/___/_____

31ª SEMANA

3. Faça os cálculos e preencha o quadro.

Dividendo	Divisor	Quociente	Resto
68	17		0
	15	18	5
	18	12	2
450		30	0
108	12		0

Espaço para cálculos.

32ª SEMANA

NOME: _____

DATA: ___/___/_____

CAMPEONATO DE PROBLEMAS

Resolva os problemas:

1. Sophia e Maria Eduarda compraram 108 figurinhas e pagaram R$ 216,00. Desse valor, Maria Eduarda pagou R$ 126,00 pelas figurinhas.

   A) Qual foi o valor pago por Sophia?
   _____

   B) Quanto custa cada figurinha?
   _____

   C) Quantas figurinhas Sophia comprou?
   _____

   D) Quantas figurinhas Maria Eduarda comprou?
   _____

NOME: _____

DATA: ____/____/_____

32ª SEMANA

2. Um comerciante pagou R$ 720,00 em 20 kg de peixe. Ele vendeu cada quilo por R$ 60,00.

   A) Quanto o comerciante pagou por cada quilo de peixe?
   _____

   B) Quanto ele faturou ao vender os 20 kg de peixe?
   _____

   C) Qual foi o lucro total do comerciante ao vender os 20 kg de peixe? (Lembrando que lucro é o faturamento menos o valor pago pelo comerciante)
   _____

3. Dona joana comprou 7 dúzias de jiló. Guardou 12 para levar para o zoológico e distribuiu o restante, dando 2 jilós a cada um de seus papagaios. Quantos papagaios receberam jilós?
   _____
   _____
   _____

3º ano – 2A EDIÇÃO

4. Mamãe foi ao supermercado e comprou 5 pacotes de açúcar de 5 quilos cada um, e 4 pacotes de café com 3 quilos cada um. Quantos quilos de produtos mamãe comprou?

OPERAÇÃO	RESPOSTA

5. Marcelo tem 6 dúzias de carrinhos de corrida e 7 dezenas e meia de bolinhas de gude.

- Quantos carrinhos de corrida ele tem?

- Quantas bolinhas de gude ele tem?

- Quantos carrinhos e bolinhas de gude ele tem?

NOME: _____

DATA: _____/_____/_____

33ª SEMANA

NÚMEROS FRACIONÁRIOS

Fração é **uma** ou **mais partes** de um **inteiro** que se divide em **partes iguais**.

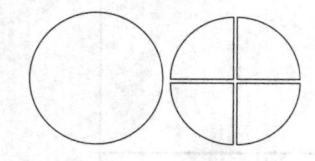

O círculo foi dividido em 4 partes iguais, cada parte representando $\frac{1}{4}$ do círculo.

O círculo representa um inteiro.

Duas partes iguais	Pintei a metade ou $\frac{1}{2}$
Três partes iguais	Pintei um terço ou $\frac{1}{3}$
Quatro partes iguais	Pintei um quarto ou $\frac{1}{4}$

Lendo frações:

$\frac{2}{5}$ — Dois quintos

$\frac{2}{7}$ — Dois quintos

$\frac{3}{8}$ — Três oitavos

$\frac{4}{10}$ — Quatro décimos

3º ano — 2A EDIÇÃO

1. Complete o quadro:

FIGURA	PARTES PINTADAS	TOTAL DAS PARTES	FRAÇÃO

NOME: _____

DATA: ____/____/_____

33ª SEMANA

2. Observe o desenho e forme frações:

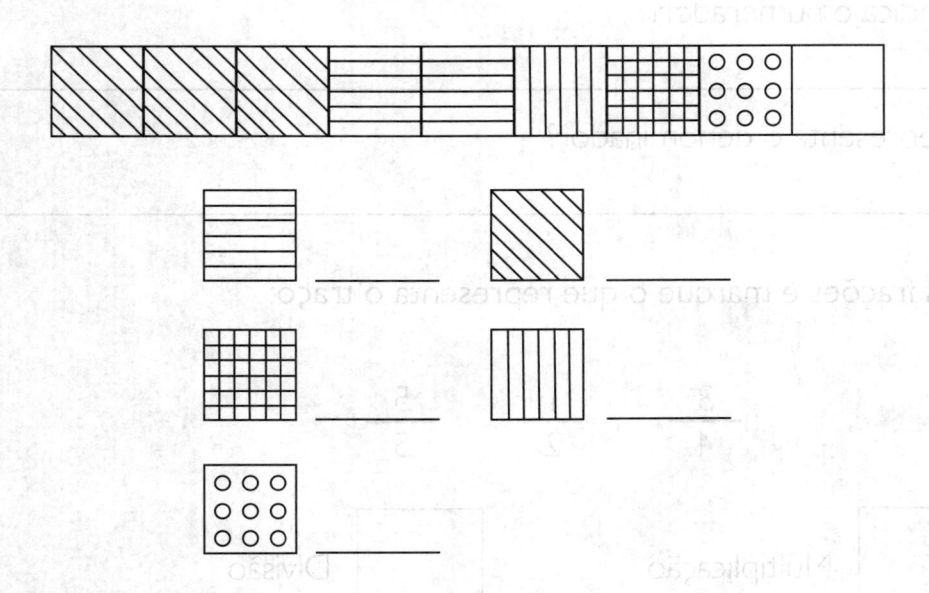

A) Escreva a fração que representa o desenho maior.
_____

B) Quantas partes deste desenho maior foram pintadas?
_____

C) Quantas partes deste desenho maior não foram pintadas?
_____

D) Da parte que está pintada, qual é o número que representa o numerador?
_____

E) Da parte que está pintada, qual é o número que representa o denominador?
_____

3º ano — 2A EDIÇÃO

33ª SEMANA

NOME: _____

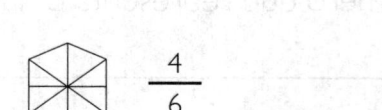

DATA: ____/____/_____

3. Responda:

   A) O que indica o numerador?
   _____

   B) O que representa o denominador?
   _____

4. Observe as frações e marque o que representa o traço:

$$\frac{3}{4} \qquad \frac{1}{2} \qquad \frac{5}{5}$$

☐ Multiplicação   ☐ Divisão

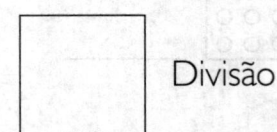

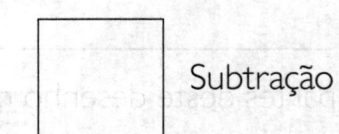

☐ Adição   ☐ Subtração

5. Pinte no desenho as frações indicadas e as escreva por extenso.

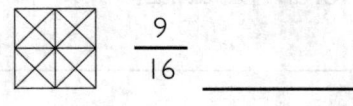

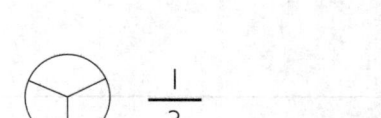

   $\frac{9}{16}$ _____

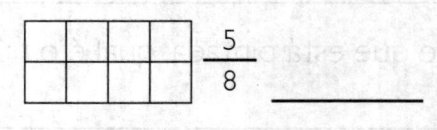

   $\frac{5}{8}$ _____

   $\frac{4}{6}$ _____

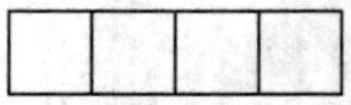

   $\frac{2}{4}$ _____

   $\frac{1}{3}$ _____

NOME: _____

DATA: ____/____/_____

33ª SEMANA

6. Circule a maior fração e represente-a.

$$\frac{2}{7} \quad \frac{4}{7} \quad \frac{6}{7} \qquad \frac{3}{6} \quad \frac{4}{6} \quad \frac{1}{6}$$

7. Recorte as frações e cole-as nos lugares correspondentes.

$$\frac{3}{4} \quad \frac{1}{2} \quad \frac{1}{4} \quad \frac{1}{3} \quad \frac{1}{5} \quad \frac{2}{3} \quad \frac{2}{5}$$

3º ano – 2A EDIÇÃO

151

8. Circule as frações de acordo com o desenho:

⊘	$\dfrac{1}{2}$	$\dfrac{3}{6}$	$\dfrac{7}{8}$	$\dfrac{1}{6}$	$\dfrac{6}{5}$
⊘	$\dfrac{1}{4}$	$\dfrac{3}{4}$	$\dfrac{1}{8}$	$\dfrac{1}{3}$	$\dfrac{1}{5}$
▦	$\dfrac{1}{2}$	$\dfrac{3}{8}$	$\dfrac{3}{6}$	$\dfrac{3}{7}$	$\dfrac{6}{8}$
⊠	$\dfrac{1}{3}$	$\dfrac{3}{6}$	$\dfrac{1}{2}$	$\dfrac{1}{5}$	$\dfrac{1}{4}$
⊘	$\dfrac{4}{6}$	$\dfrac{5}{6}$	$\dfrac{6}{8}$	$\dfrac{1}{6}$	$\dfrac{3}{5}$
▱	$\dfrac{1}{3}$	$\dfrac{1}{4}$	$\dfrac{1}{2}$	$\dfrac{1}{5}$	$\dfrac{2}{1}$
△	$\dfrac{1}{2}$	$\dfrac{3}{4}$	$\dfrac{5}{6}$	$\dfrac{1}{4}$	$\dfrac{4}{3}$
⊘	$\dfrac{1}{6}$	$\dfrac{2}{3}$	$\dfrac{3}{3}$	$\dfrac{1}{3}$	$\dfrac{2}{5}$
▬	$\dfrac{3}{5}$	$\dfrac{3}{4}$	$\dfrac{5}{4}$	$\dfrac{4}{6}$	$\dfrac{4}{5}$

NOME: _____

DATA: ____/____/_____

34ª SEMANA

SISTEMA MONETÁRIO

Utilizamos o dinheiro para comprar o que precisamos. Cada país tem a sua moeda, ou seja, o seu dinheiro. A nossa moeda é o real, e o seu símbolo é R$. Nosso dinheiro pode ser encontrado em cédulas e moedas.

- Observe as moedas e seus valores:

UM CENTAVO  — CINCO CENTAVOS  — DEZ CENTAVOS  — VINTE E CINCO CENTAVOS  — CINQUENTA CENTAVOS  — UM REAL

- Agora, observe as cédulas:

UM REAL  — VINTE REAIS

DOIS REAIS  — CINQUENTA REAIS

CINCO REAIS  — CEM REAIS

DEZ REAIS

3º ano — 2A EDIÇÃO

34ª SEMANA

NOME: _____

DATA: ___/___/_____

1. Observe a tabela de preços e faça o que se pede.

PACOTE DE ARROZ BRANCO 5 KG R$ 7,00 CADA	PACOTE DE FEIJÃO-CARIOCA 1 KG R$ 1,70 CADA	REFRIGERANTE À BASE DE GUARANÁ R$ 2,90 CADA	FRANGO CONGELADO R$ 10,00 CADA
CAIXA DE GELATINA 20 KG R$ 0,50 CADA	POTE DE MARGARINA 500 G R$ 2,60 CADA	BOMBOM 17 G R$ 0,30 CADA	SUCO 200 ML R$ 1,00 CADA
FARINHA LÁCTEA 200 G R$ 1,20 CADA	SABÃO EM PÓ 1 KG R$ 5,10 CADA	SABONETE R$ 0,70 CADA	BANDEJA DE IOGURTE R$ 2,10 CADA

A) Renata foi ao supermercado com R$ 100,00. Comprou 3 frangos, 2 pacotes de arroz, 4 pacotes de feijão, 2 pacotes de farinha láctea. Quanto Renata gastou? Sobrou troco? Se sobrou, quanto foi?

Espaço para cálculos:

NOME: _____

DATA: ____/____/_____

34ª SEMANA

B) Se eu comprasse um item de cada produto anunciado, quanto gastaria?

Espaço para cálculos:

C) E se eu comprasse dois itens de cada? Quanto gastaria?

Espaço para cálculos:

D) Joana comprou todos os itens, exceto refrigerante e bombom. Quanto gastou?

Espaço para cálculos:

34ª SEMANA

NOME: _____

DATA: ____/____/_____

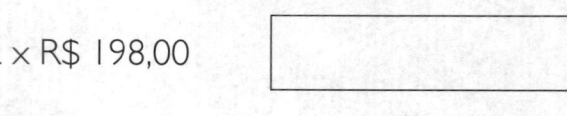

2. Calcule o valor dos produtos.

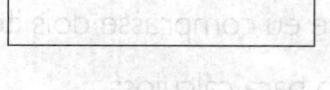

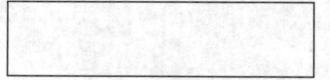

12 × R$ 198,00 _____

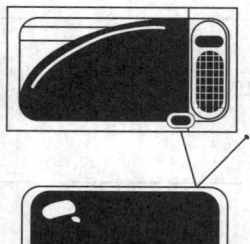

6 × R$ 67,00 _____

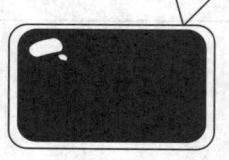

10 × R$ 156,00 _____

8 × R$ 59,00 _____

9 × R$ 132,00 _____

A) Qual foi o produto que custou mais caro?
_____

B) Qual foi o produto que custou mais barato?
_____

C) Qual é a diferença do valor do produto mais caro para o mais barato?
_____

NOME: _____

DATA: _____/_____/_____

34ª SEMANA

3. Pinte as cédulas de acordo com os valores dos objetos.

R$ 97,00

R$ 15,00

R$ 132,00

R$ 75,00

3º ano – 2A EDIÇÃO

157

34ª SEMANA

NOME: _____

DATA: ___/___/_____

4. Por qual nota podemos trocar as moedas mostradas abaixo?

NOME: _____

DATA: ____/____/_____

34ª SEMANA

5. Pesquise o valor dos produtos, calcule a quantidade de 5 unidades e responda:

PRODUTO	VALOR UNIDADE	VALOR 5 UNIDADES
ACHOCOLATADO		
LATA DE ÓLEO		
1 KG DE FEIJÃO		
1 LITRO DE LEITE		
PÃO FRANCÊS		

A) Qual é o produto mais barato?
_____

B) Qual é o produto mais caro?
_____

C) Qual é a diferença entre o produto mais caro e o mais barato?
_____

D) Complete:
- Se 5 pães franceses custam_____, 10 custarão _____.
- Se 5 latas de óleo custam _____, 8 custarão _____.

3º ano – 2A EDIÇÃO

35ª SEMANA

NOME: _____

DATA: ___/___/_____

MEDIDAS DE TEMPO

A hora e o minuto

A hora e o minuto são unidades de medidas de tempo marcadas pelo relógio.

Por extenso	Abreviatura
hora	h
minuto	min

O dia se divide em 24 partes iguais.

Cada parte corresponde a **1 hora**.

A hora se divide em 60 partes iguais.

Cada parte corresponde a **1 minuto**.

O minuto se divide em 60 partes iguais.

Cada parte corresponde a **1 segundo**.

RELÓGIO DE PONTEIRO

Ponteiro de horas
Ponteiro dos minutos

8 horas e 20 minutos

RELÓGIO DIGITAL

Horas   Minutos

02:50

2 horas e 50 minutos

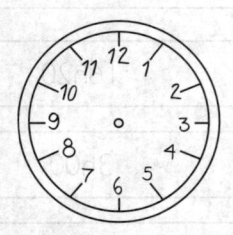

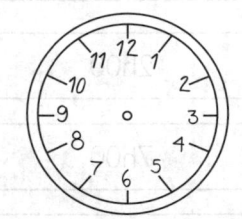

NOME: _____

DATA: ____/____/_____

35ª SEMANA

1. Que horas são? Escreva no espaço abaixo de cada relógio.

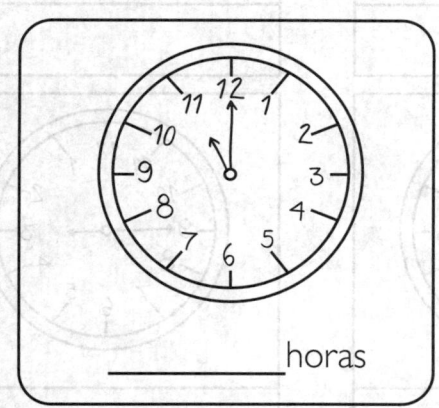

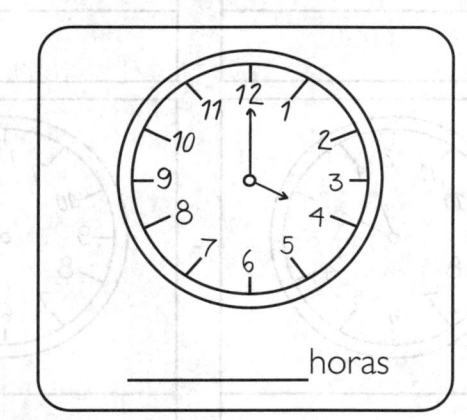

_____ horas

_____ horas

_____ horas

_____ horas

2. Marque as horas nos relógios.

| 5 horas | 10 horas | 8 horas |

3º ano – 2A EDIÇÃO

35ª SEMANA

NOME: _____

DATA: ___/___/_____

3. Recorte as fichas e cole-as nos relógios considerando antes de meio-dia e depois de meio-dia.

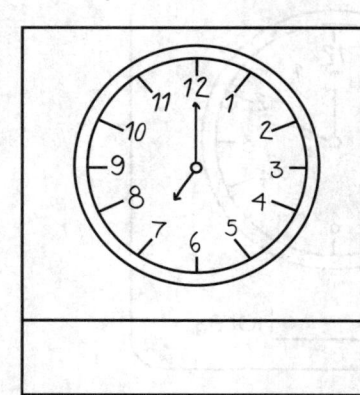

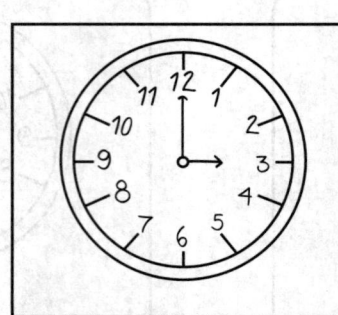

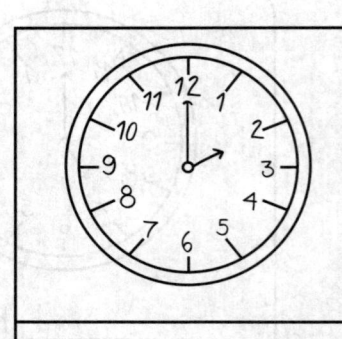

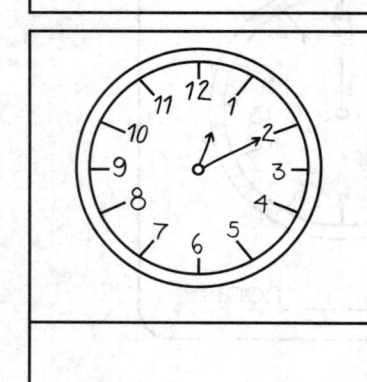

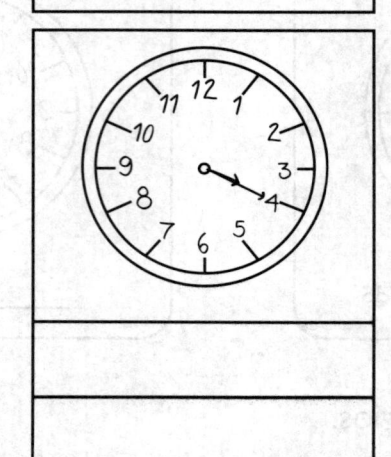

4h20	19h00	1h10
3h45	2h00	16h20
15h00	7h00	3h00
13h10	14h00	15h45

4. Marque nos relógios as horas e os minutos.

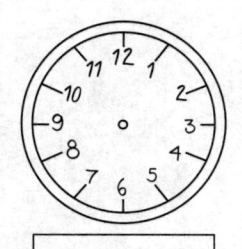

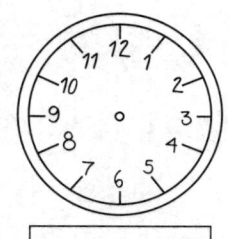

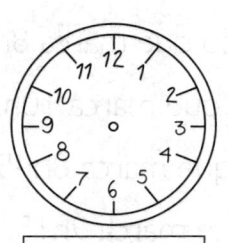

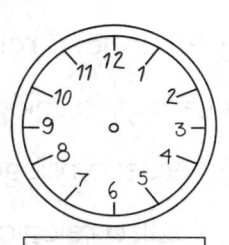

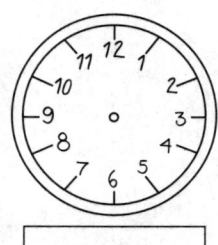

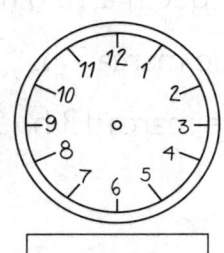

| 20h15 | 14h30 | 22h50 | 18h05 |

| 16h10 | 21h15 | 00h10 | 15h35 |

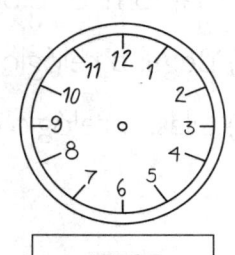

5. Complete:

A) Um dia tem _____ horas.

B) Um minuto tem _____ segundos.

C) Uma hora tem _____ minutos.

D) Uma quinzena representa _____ dias.

E) Uma semana representa _____ dias.

F) Um milênio tem _____ anos.

G) Uma década tem _____ anos.

H) Um século tem _____ anos.

6. Pinte os relógios conforme a legenda:

A) Amarelo: o relógio que marca 8h55.

B) Laranja: o relógio que marca 10h30.

C) Verde: o relógio que marca 8h45.

D) Azul: o relógio que marca 9h15.

E) Rosa: o relógio que marca 5h15.

F) Marrom: o relógio que marca 6 h.

G) Bege: o relógio que marca 7 h.

H) Lilás: o relógio que marca 13 h.

NOME: _____

DATA: ____/____/_____

36ª SEMANA

OS DIAS DA SEMANA

São sete os dias da semana. Domingo é o primeiro dia, e sábado, o último.

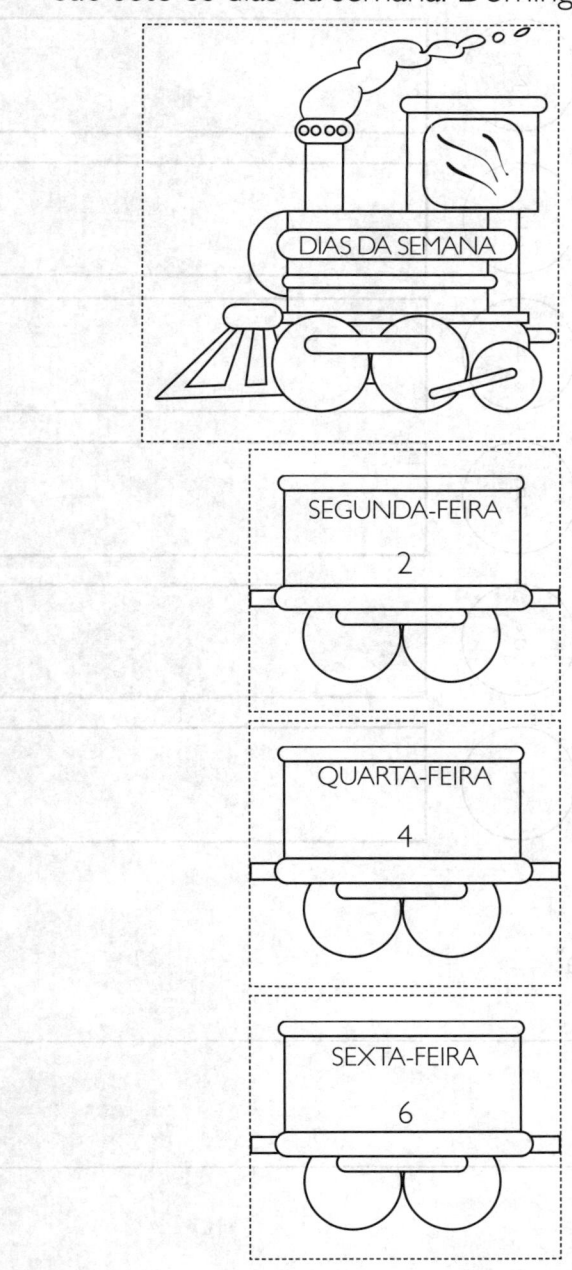

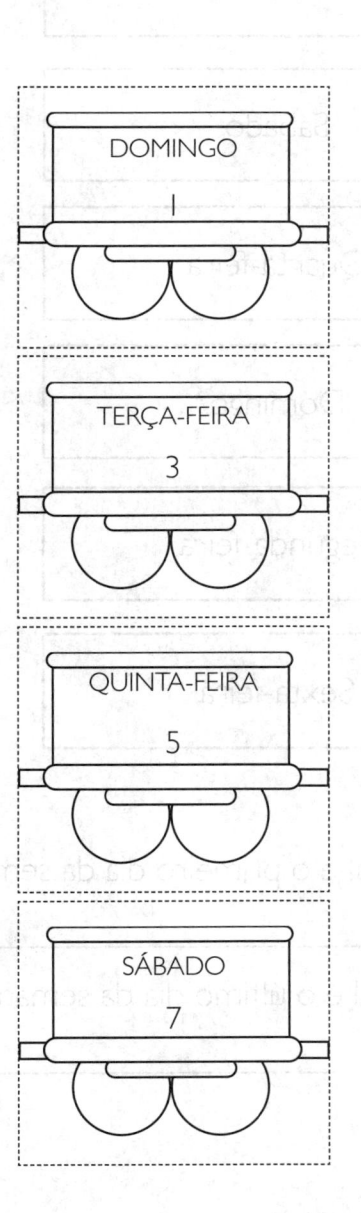

- DIAS DA SEMANA
- DOMINGO — 1
- SEGUNDA-FEIRA — 2
- TERÇA-FEIRA — 3
- QUARTA-FEIRA — 4
- QUINTA-FEIRA — 5
- SEXTA-FEIRA — 6
- SÁBADO — 7

3º ano – 2A EDIÇÃO

36ª SEMANA

NOME: _____

DATA: ___/___/_____

Quinta-feira	①	
Terça-feira	②	
Sábado	③	
Quarta-feira	④	
Domingo	⑤	
Segunda-feira	⑥	
Sexta-feira	⑦	

A) Qual é o primeiro dia da semana?
_____

B) Qual é o último dia da semana?
_____

3º ano — 2A EDIÇÃO

NOME: _____

DATA: ____/____/_____

36ª SEMANA

2. Dê o antecessor e o sucessor em relação aos dias da semana.

	Quinta-feira	
	Sexta-feira	
	Segunda-feira	
	Domingo	

A) De qual dia da semana você mais gosta? Justifique sua resposta.
_____

B) Em quais dias da semana você tem aula?
_____

C) Em quais os dias da semana você não tem aula?
_____

D) Você pratica algum esporte? Qual? Em que dia da semana?
_____

E) Pergunte aos seus pais em que dia da semana você nasceu e registre.
_____

F) Em que dia caiu ou cairá seu aniversário este ano?
_____

3º ano – 2A EDIÇÃO

36ª SEMANA

NOME: _____

DATA: ____/____/_____

3. Desembaralhe as letras e forme o nome dos dias da semana.

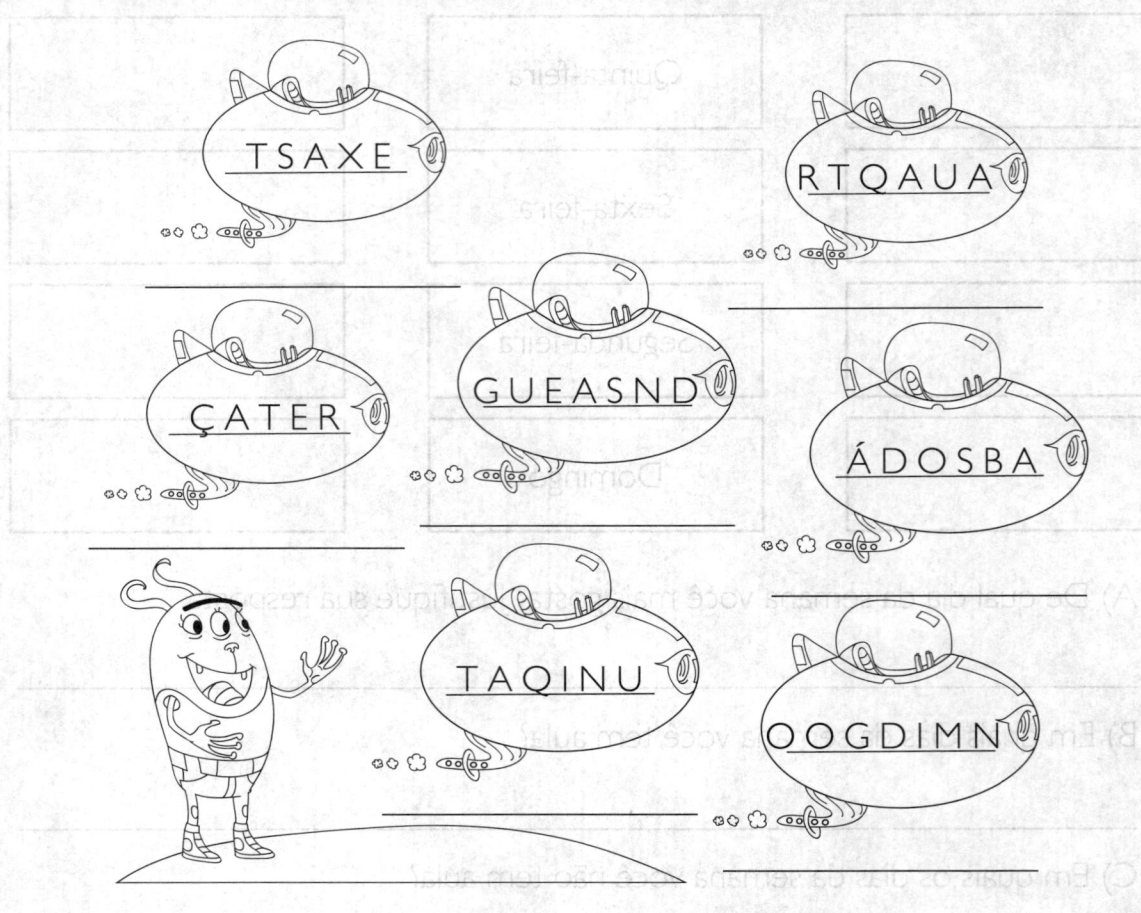

TSAXE _____

RTQAUA _____

ÇATER _____

GUEASND _____

ÁDOSBA _____

TAQINU _____

OOGDIMN _____

4. Encaixe os dias da semana no diagrama.

NOME: _____

DATA: ____/____/_____

37ª SEMANA

MESES DO ANO

São doze os meses do ano.

1 – JANEIRO

2 – FEVEREIRO

3 – MARÇO

4 – ABRIL

5 – MAIO

6 – JUNHO

7 – JULHO

8 – AGOSTO

9 – SETEMBRO

10 – OUTUBRO

11 – NOVEMBRO

12 – DEZEMBRO

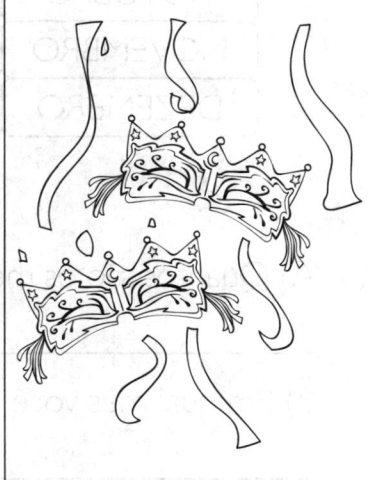

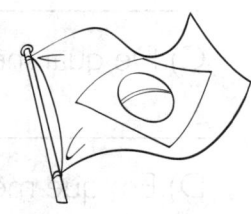

37ª SEMANA

NOME: _____

DATA: ____/____/_____

1. Pinte um quadrinho para representar a posição de cada mês.

JANEIRO												
FEVEREIRO												
MARÇO												
ABRIL												
MAIO												
JUNHO												
JULHO												
AGOSTO												
SETEMBRO												
OUTUBRO												
NOVEMBRO												
DEZEMBRO												

A) Quantos são os meses do ano?
_____

B) Em qual mês você faz aniversário?
_____

C) De qual mês você mais gosta?
_____

D) Em que mês comemora-se o Dia das Mães?
_____

3º ano — 2A EDIÇÃO

NOME: _____

DATA: ____/____/_____

37ª SEMANA

2. Escreva um acontecimento para cada mês do ano.

JANEIRO	FEVEREIRO	MARÇO	ABRIL
MAIO	**JUNHO**	**JULHO**	**AGOSTO**
SETEMBRO	**OUTUBRO**	**NOVEMBRO**	**DEZEMBRO**

3º ano – 2A EDIÇÃO

37ª SEMANA

NOME: _____

DATA: ___/___/_____

3. Numere os meses na ordem em que ocorrem:

SETEMBRO	ABRIL	MARÇO
OUTUBRO	MAIO	JANEIRO
JULHO	NOVEMBRO	JUNHO
AGOSTO	FEVEREIRO	DEZEMBRO

NOME: _____

DATA: _____/_____/_____

37ª SEMANA

4. Observe o calendário e faça o que se pede.

Janeiro
DOM	SEG	TER	QUA	QUI	SEX	SAB
	1	2	3	4	5	6
7	8	9	10	11	12	13
14	15	16	17	18	19	20
21	22	23	24	25	26	27
28	29	30	31			

Fevereiro
DOM	SEG	TER	QUA	QUI	SEX	SAB
				1	2	3
4	5	6	7	8	9	10
11	12	13	14	15	16	17
18	19	20	21	22	23	24
25	26	27	28			

Março
DOM	SEG	TER	QUA	QUI	SEX	SAB
				1	2	3
4	5	6	7	8	9	10
11	12	13	14	15	16	17
18	19	20	21	22	23	24
25	26	27	28	29	30	31

Abril
DOM	SEG	TER	QUA	QUI	SEX	SAB
1	2	3	4	5	6	7
8	9	10	11	12	13	14
15	16	17	18	19	20	21
22	23	24	25	26	27	28
29	30					

Maio
DOM	SEG	TER	QUA	QUI	SEX	SAB
		1	2	3	4	5
6	7	8	9	10	11	12
13	14	15	16	17	18	19
20	21	22	23	24	25	26
27	28	29	30	31		

Junho
DOM	SEG	TER	QUA	QUI	SEX	SAB
					1	2
3	4	5	6	7	8	9
10	11	12	13	14	15	16
17	18	19	20	21	22	23
24	25	26	27	28	29	30

Julho
DOM	SEG	TER	QUA	QUI	SEX	SAB
1	2	3	4	5	6	7
8	9	10	11	12	13	14
15	16	17	18	19	20	21
22	23	24	25	26	27	28
29	30	31				

Agosto
DOM	SEG	TER	QUA	QUI	SEX	SAB
			1	2	3	4
5	6	7	8	9	10	11
12	13	14	15	16	17	18
19	20	21	22	23	24	25
26	27	28	29	30	31	

Setembro
DOM	SEG	TER	QUA	QUI	SEX	SAB
						1
2	3	4	5	6	7	8
9	10	11	12	13	14	15
16	17	18	19	20	21	22
23	24	25	26	27	28	29
30						

Outubro
DOM	SEG	TER	QUA	QUI	SEX	SAB
	1	2	3	4	5	6
7	8	9	10	11	12	13
14	15	16	17	18	19	20
21	22	23	24	25	26	27
28	29	30	31			

Novembro
DOM	SEG	TER	QUA	QUI	SEX	SAB
				1	2	3
4	5	6	7	8	9	10
11	12	13	14	15	16	17
18	19	20	21	22	23	24
25	26	27	28	29	30	

Dezembro
DOM	SEG	TER	QUA	QUI	SEX	SAB
						1
2	3	4	5	6	7	8
9	10	11	12	13	14	15
16	17	18	19	20	21	22
23	24	25	26	27	28	29
30	31					

A) Complete o quadro:

Meses com 31 dias	Meses com 30 dias

B) Este ano, quantos dias tem o mês de fevereiro?

_____

C) Ele é bissexto ou não?

_____

3º ano — 2A EDIÇÃO

37ª SEMANA

NOME: _____

DATA: ____/____/_____

5. Complete com os meses do ano:

   A) O ano inicia-se com o mês de _____.

   B) O ano encerra no mês de _____.

   C) Geralmente, o Carnaval acontece no mês de _____.

   D) As festas juninas acontecem no mês de _____.

   E) No meio do ano, tenho férias no mês de _____.

   F) Comemoramos o Dia dos Pais no mês de _____.

   G) Meu aniversário acontece no mês de _____.

   H) O ano tem _____ meses.

   I) Meio ano tem _____ meses.

   J) Estamos no mês de _____. Faltam _____ para o ano acabar.

   K) O Natal é comemorado em _____.

   L) _____ é o menor mês do ano.

   M) Comemoramos o Dia das Mães no mês de _____.

MEDIDAS DE COMPRIMENTO

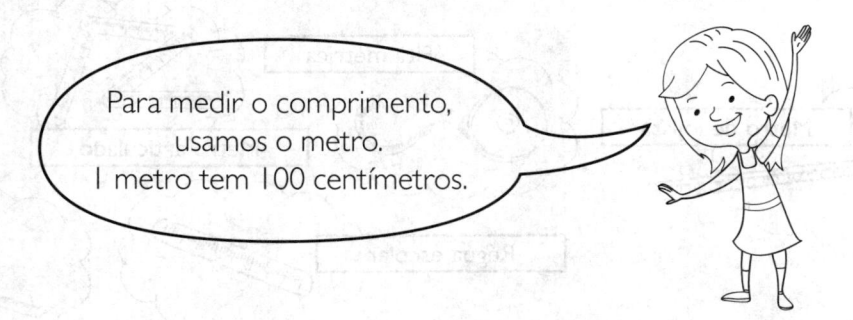

> Para medir o comprimento, usamos o metro.
> 1 metro tem 100 centímetros.

O metro é a principal unidade de medida de comprimento. Seu símbolo é o **m**. O metro tem divisões:

- Chama-se múltiplo, quando é maior que ele.
- Chama-se submúltiplo, quando é menor que ele.

Por exemplo:

- Quilômetro: km (múltiplo)
- Centímetro: cm (submúltiplo)
- Milímetro: mm (submúltiplo)

Estes são os instrumentos mais usados para medir comprimento:

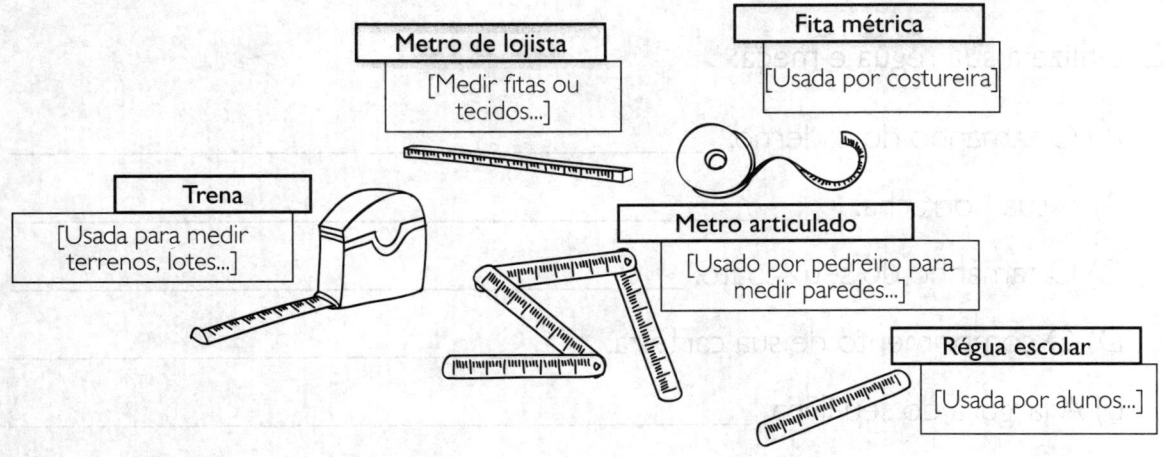

Metro de lojista
[Medir fitas ou tecidos...]

Fita métrica
[Usada por costureira]

Trena
[Usada para medir terrenos, lotes...]

Metro articulado
[Usado por pedreiro para medir paredes...]

Régua escolar
[Usada por alunos...]

38ª SEMANA

NOME: _____

DATA: ___/___/_____

1. Observe os instrumentos e responda:

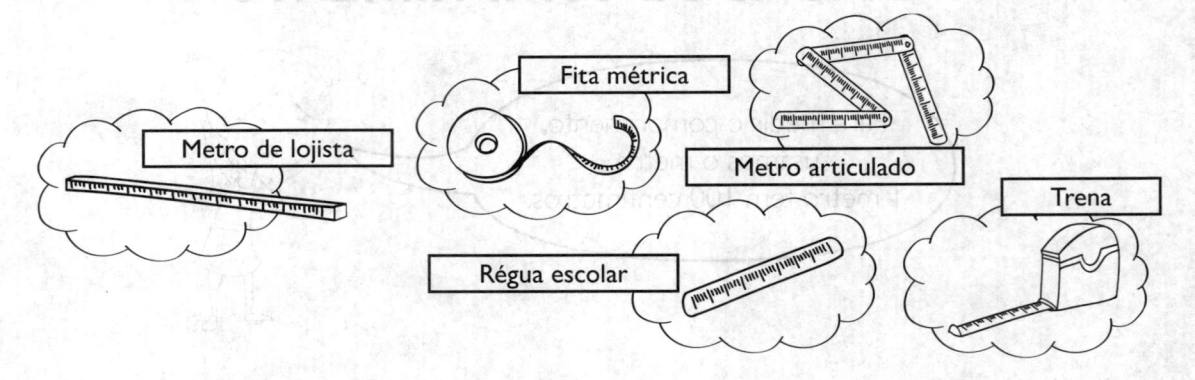

- Metro de lojista
- Fita métrica
- Metro articulado
- Régua escolar
- Trena

A) Na sala de aula, usamos a _____ para medir desenhos no caderno.

B) A costureira usa a _____ para verificar as medidas dos clientes.

C) O pedreiro trabalha com o _____ para realizar bem o seu trabalho.

D) Para medir tecidos, usamos o _____.

E) Para medir pequenos terrenos, usamos a _____.

2. Utilize a sua régua e meça:

A) O tamanho do caderno. _____

B) A sua borracha. _____

C) O tamanho do seu sapato. _____

D) O comprimento de sua carteira. _____

E) A largura do seu livro. _____

176 3º ANO — 2A EDIÇÃO

NOME: _____

DATA: ____/____/_____

38ª SEMANA

3. Meça com a régua:

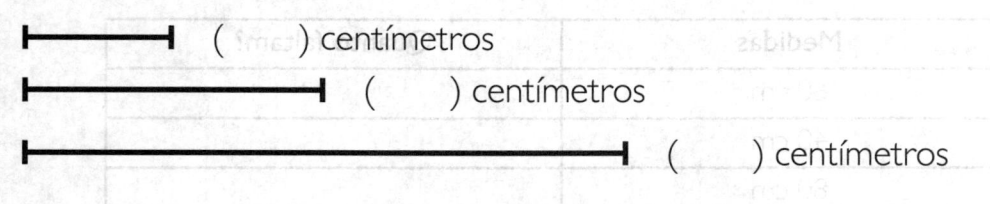

   |———————| (   ) centímetros

   |————————————————| (   ) centímetros

   |————————————————————————————| (   ) centímetros

4. Qual é a medida?

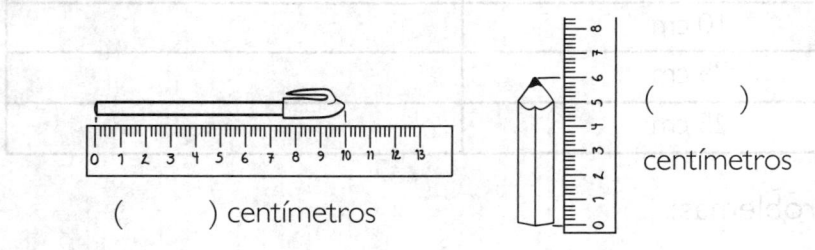

   (   ) centímetros

   (   ) centímetros

5. Pesquise e escreva o nome de um objeto que seja:

   A) Maior que um metro.
   _____

   B) Menor que um metro.
   _____

   C) Maior que 5 metros.
   _____

   D) Que unidade usamos para medir o comprimento de um carro?
   _____

   E) Qual é o símbolo do metro?
   _____

   F) Quantos centímetros há em um metro?
   _____

3º ano – 2A EDIÇÃO

38ª SEMANA

NOME: _____

DATA: ____/____/_____

6. Verifique as medidas e complete o quadro.

Medidas	Quanto faltam?
60 cm	
40 cm	
80 cm	
95 cm	
10 cm	
75 cm	
25 cm	

7. Resolva os problemas:

A) Carina tem 1,60 m de altura. Sua prima é 80 cm mais baixa. Qual é a altura da prima de Carina?

RESPOSTA: _____

B) Para pôr tela ao redor de um campo de futebol, usaram-se 4 rolos de 120 m. Quantos metros de tela foram usados?

RESPOSTA: _____

MEDIDAS DE CAPACIDADE

Para medirmos a água, o leite, a gasolina, o álcool e outros líquidos, usamos a unidade de capacidade chamada litro.

- A metade do litro chama-se meio litro.
- Um litro tem 2 meios litros.

$1\ L = 1.000\ ml$

Vai encher o tanque, senhor?

Não. Só quero 20 litros, amigo!

NOME: _____

DATA: ___/___/_____

39ª SEMANA

1. Marque a resposta certa:

   Estas garrafas juntas têm?

   ☐ 8 litros

   ☐ 4 litros

   ☐ 2 litros

2. Para encher 1 garrafão grande, usam-se 7 garrafões menores, com capacidade de 6 litros cada. Então, quantos litros são necessários para encher o garrafão grande?

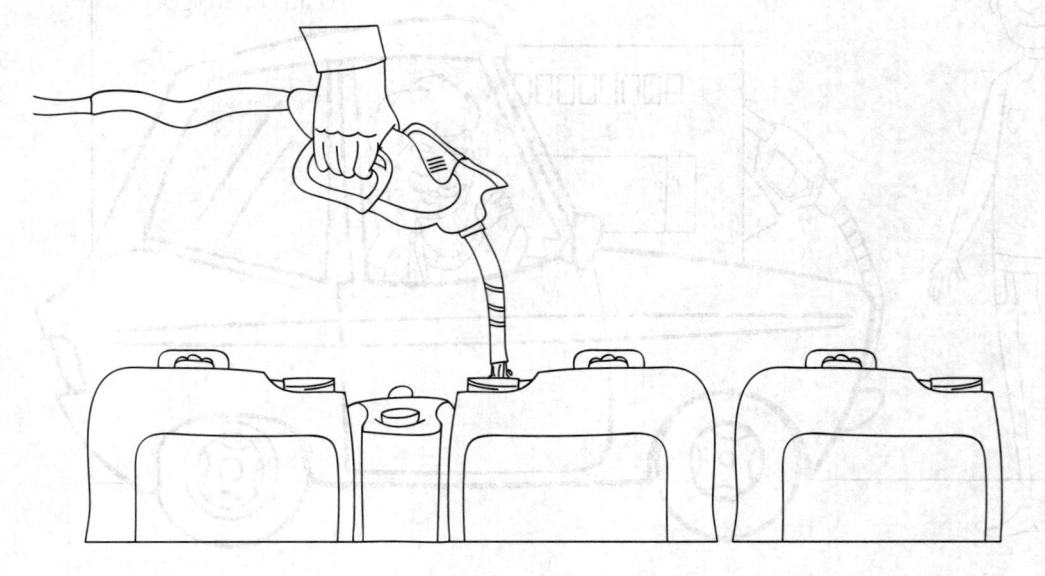

NOME: _____

DATA: ____/____/_____

39ª SEMANA

3. Faça uma pesquisa e registre:

Pesquise e anote

Produto	Preço	Marca
1 litro de leite		
1 litro de suco		
600 mℓ de cerveja		
2 litros de refrigerante		
1 litro de álcool (combustível)		

- Calcule o preço de acordo com sua pesquisa:

6 litros de leite	12 litros de suco

24 garrafas de cerveja	14 litros de refrigerante

35 litros de álcool

3º ano – 2A EDIÇÃO 181

39ª SEMANA

NOME: _____

DATA: ___/___/_____

4. Complete:

    A) A metade de um litro é _____ ml.

    B) Com um litro, posso encher _____ vasilhas de meio litro.

    C) A metade de 12 litros corresponde a _____ litros.

    D) O dobro de meio litro corresponde a _____ litro.

5. Pesquise em sua casa produtos comprados por litro e registre-os:

NOME: _____

DATA: ____/____/_____

39ª SEMANA

6. Resolva os problemas:

A) Um caminhão consome 1 litro de diesel a cada 6 quilômetros rodados. Quantos litros de diesel o caminhão gasta em uma distância de 564 km?

| OPERAÇÃO |

RESPOSTA: _____

B) Pesquise o preço atual da gasolina e responda:

• Quanto gastará para encher um tanque com capacidade para 45 litros de gasolina?

| OPERAÇÃO |

RESPOSTA: _____

• Quanto gastará para encher um tanque com capacidade para 62 litros de gasolina?

| OPERAÇÃO |

RESPOSTA: _____

C) Em um barril de vinho de 680 litros, foram vendidos, para um restaurante, 274 litros e, para uma adega, 84 litros. Quantos litros de vinho sobraram?

| OPERAÇÃO |

RESPOSTA: _____

3º ano — 2ª EDIÇÃO

40ª SEMANA

NOME: _____

DATA: ___/___/_____

MEDIDAS DE MASSA

A unidade de massa mais usada é o quilograma ou quilo.

| 1.000g |
| 1 quilo |

| 500 g | 500 g |
| meio quilo | meio quilo |

| 250 g | 250 g | 250 g | 250 g |
| um quarto de quilo | um quarto de quilo | um quarto de quilo | um quarto de quilo |

Em 1 quilo, temos **2 meios quilos**.

A quarta parte do quilo equivale a **250 gramas**.

NOME: _____

DATA: ____/____/_____

40ª SEMANA

1. Complete:

   - Instrumento que mede massa?

   - Quanto você pesa?

   - Quanto sua mãe pesa?

   - Qual a diferença entre o peso da sua mãe e o seu?

   - Coisas que compramos por quilo?

   - Abreviatura de quilograma e grama?

   - Quantos gramas há em 1 quilograma?

   - A unidade de massa mais usada.

   - Por qual palavra pode ser substituída a palavra quilograma?

NOME: _____

40ª SEMANA

DATA: ___/___/_____

2. Observe e faça o que se pede:

| 36 quilos | 49 quilos | 28 quilos | 53 quilos |

| Mônica | Décio | Régila | Paulo |

A) Quem pesa mais?
_____

B) Quem pesa menos?
_____

C) Qual é a diferença de peso entre Mônica e Régila?
_____

D) Quanto pesam as duas meninas juntas?
_____

E) Quanto pesam os dois meninos juntos?
_____

F) O pai de Paulo pesa 3 vezes mais que ele. Quanto o pai pesa?
_____

G) Ele precisa perder 69 quilos para chegar ao peso ideal? Quanto teria de pesar?
_____

3º ANO — 2A EDIÇÃO

3. Resolva as operações e descubra o resultado de cada criança.

681 kg + 245 kg =

245 kg + 19 kg =

6 × 37 kg =

600 g – 154 g =

942 kg : 3 =

248 g – 137 g =

PEDRO
ANTECESSOR DE 112

LARA
3 NA ORDEM DAS CENTENAS

PABLO
MAIOR RESULTADO

CAMILA
2C, 6D E 4U

FLÁVIA
1ª CLASSE FORMADA PELO Nº 2

JOÃO
FORMADO POR 44 DEZENAS

3º ANO – 2A EDIÇÃO

40ª SEMANA

NOME: _____

DATA: ___/___/_____

4. Pesquisando preços:

Produto	Valor	Quantidade	Valor total
1 kg de tomate		6 kg	
1 kg de batata		8 kg	
1 kg de café		12 kg	
5 kg de açúcar		15 kg	
1 kg de contrafilé		10 kg	
1 kg de linguiça		20 kg	
1 kg de mandioca		9 kg	
5 kg de trigo		4 kg	
5 kg de ração		3 kg	

RESPOSTAS DAS ATIVIDADES

Págs. 9/10/11/12/13/14 — 1. 30 + 6 =; D = 3, U = 6 / 10 + 3 =; D = 1, U = 3 / 30 + 4 =; D = 3, U = 4 / 20 + 8 =; D= 2, U = 8 / 40 + 5 =; D = 4, U = 5. **2.** 2 dezenas e 0 unidades / 2 dezenas e 3 unidades / 1 dezena e 8 unidades / 1 dezena e 7 unidades / 3 dezenas e 2 unidades / 4 dezenas e 5 unidades. **3.** Colar: 14, 26, 32, 25, 17, 15, 19, 24, 37. **4.** Pintar: 23, 19, 17, 18, 25, 26, 17, 31, 15. **5.** A) 10 unidades. B) 1 dezena. C) 100 unidades. D) 5 unidades. **6.** A) 59. B) 9 unidades. C) 5 dezenas. D) 59. E) Formaremos uma nova dezena. F) 60.

Págs. 15/16/17/18 — 1.

	C	D	U
324	III	II	IIII
187	I	IIIIIIII	IIIIIII
256	II	IIIII	IIIIII
319	III	I	IIIIIIIII
543	IIIII	IIII	III

	C	D	U
251	II	IIIII	I
502	IIIII		II
212	II	I	II
609	IIIIII		IIIIIIIII
105	I		IIIII

2. 2 centenas, 3 dezenas e 1 unidade / 6 centenas, 1 dezena e 4 unidades / 5 centenas, oito dezenas e 1 unidade / 1 centena, 3 dezenas e 6 unidades / 2 centenas, 1 dezena e 7 unidades / 8 centenas, 1 dezena e 9 unidades / 3 centenas e 1 unidade. **3.** 600 + 70 + 1 = 671 / 100 + 90 + 7 = 197 / 300 + 50 + 1 = 351 / 100 + 10 + 9 = 119 / 800 + 10 =810. **4.** 831, 175, 981, 201, 810, 441. **5.** A) 231, 107, 113, 204, 330. B) 60, 600 / 40, 40 / 30, 300 / 510.

Págs. 19/20/21/22 — 1. 1.000 unidades / 100 dezenas / 1 milhar. **2.** A) 4 ordens. B) Unidade de milhar. C) 4 algarismos. D) 2 classes. E) Unidade, dezena e centena. F) Unidade de milhar, dezena de milhar e centena de milhar. G) 2 e vale 200. H) 3 e vale 3.000. I) 9 e vale 9. J) 5 e vale 50. **3.**

3.087	UM	C	D	U
Ordem que ocupa	3	0	8	7
Valor absoluto	3	0	8	7
Valor relativo	3.000	0	80	7

7.838	UM	C	D	U
Ordem que ocupa	7	8	3	8
Valor absoluto	7	8	3	8
Valor relativo	7.000	800	30	8

2.426	UM	C	D	U
Ordem que ocupa	2	4	2	6
Valor absoluto	2	4	2	6
Valor relativo	2.000	400	20	6

1.756	UM	C	D	U
Ordem que ocupa	1	7	5	6
Valor absoluto	1	7	5	6
Valor relativo	1.000	700	50	6

4. 2.563 = 3 unidades, 6 dezenas, 5 centenas, 2 unidades de milhar / 3.526 = 6 unidades,

RESPOSTAS DAS ATIVIDADES

2 dezenas, 5 centenas, 3 unidades de milhar. **5.** Pessoal. **6.** 2.124 / 1.326 / 5.310 / 3.523 / 4.406. **7.** A) 7.845. B) 4.560. C) 6.804 e 7.845. **Págs. 23/24/25/26/27 — 1.** A) 2 unidades de milhar, 23 centenas, 234 dezenas, 2.346 unidades. B) 4 unidades de milhar, 43 centenas, 432 dezenas, 4.321 unidades. C) 3 unidades de milhar, 37 centenas, 378 dezenas, 3.782 unidades. D) 5 unidades de milhar, 52 centenas, 529 dezenas, 5.290 unidades. E) 1 unidade de milhar, 14 centenas, 145 dezenas, 1.457 unidades. F) 7 unidades de milhar, 70 centenas, 703 dezenas, 7.036 unidades. G) 6 unidades de milhar, 63 centenas, 638 dezenas, 6.380 unidades. **2.** A) Refrigerante = 120 / Legumes = 20 / Sanduíche = 100 / Batata frita = 140 / Frutas = 20. B) 400 pessoas. C) Legumes e frutas. D) Refrigerante, sanduíche e batata frita. E) Batata frita. F) 140 = 1 centena e 4 dezenas (cento e quarenta). **3.** A) 4 ordens. B) Dois mil, seiscentos e setenta e cinco. C) 6 = 600. D)

UM	C	D	U
II	IIIIII	IIIIIII	IIIII

E) 2.675 = 2 unidades de milhar, 6 centenas, 7 dezenas e 5 unidades. F) 2 = 2.000. g) 5 = 5 unidades. H) 7 = ordem das dezenas. **4.**

Número	Decomposição	Como se lê
974	9 C, 7 D e 4 U	Novecentos e setenta e quatro
1.483	1 UM, 4 C, 8 D e 3 U	Um mil, quatrocentos e oitenta e três
12.657	1 DM, 2 UM, 6 C, 5 D e 7 U	Doze mil, seiscentos e cinquenta e sete
8.172	8 UM, 1 C, 7 D e 2 U	Oito mil, cento e setenta e dois
16.529	1 DM, 6 UM, 5 C, 2 D e 9 U	Dezesseis mil, quinhentos e vinte e nove
31.410	3 DM, 1 UM, 4 C e 1 D	Trinta e um mil, quatrocentos e dez

5. 43 / 632 / 4.571 / 70 / 42 / 61.121 / 905 / 308 / 6.500 / 40.500 / 104. **6.** A) 1.275 salgados. B) A diferença é de 170,00. C) A resposta vai depender do ano vigente. Por exemplo, se o ano vigente for, 2019. Então, Maria Sophia tem 22 anos (2019 – 1997 = 22). D) Conta 1: 215 + 35 = 250 → Conta 2: 250 – 172 = 78. Ele ficou com 78 bois.

Págs. 28/29/30/31 — 1.

Número	Valor absoluto	Valor relativo
9<u>6</u>2	6	60
5.38<u>9</u>	9	9
<u>2</u>60	2	200
<u>1</u>.154	1	1.000
66<u>7</u>	7	7
<u>7</u>63	7	700

2. 9 / 5 / 6 / 5 / 25. **3.** 121.324 = cento e vinte e um, trezentos e vinte e quatro / 22.524 =

3º ano — 2A EDIÇÃO

RESPOSTAS DAS ATIVIDADES

vinte e dois mil, quinhentos e vinte e quatro / 431.253 = quatrocentos e trinta e um, duzentos e cinquenta e três / 6.237 = seis mil, duzentos e trinta e sete / 32.214 = trinta e dois mil, duzentos e catorze. **4.** 1.796 = 2 classes / 8.009 = 2 classes / 284.572 = 2 classes / 810.037 = 2 classes / 46.090 = 2 classes / 8 = 1 classe / 13.805 = 2 classes / 21 = 1 classe / 870.320 = 2 classes / 100 = 1 classe / 99 = 1 classe. **5.** A) Duas classes. B) 4 ordens. C) 4 e vale 4.000. D) 9 e vale 9.

Págs. 32/33/34/35 — 1.

Grupo	1ª semana	2ª semana	3ª semana	Total parcial
1	31	102	**209**	342
2	54	135	304	**493**
3	28	125	189	**342**
4	60	209	**287**	556

A) 493 doações. B) Grupos 1 e 3. C) 57 doações. D) 173 doações. E) 571 doações. F) 989 doações. **2.** 22 + 17 = 39 / 18 + 23 = 41 / 13 + 18 = 31 / 14 + 19 = 33 / 39 + 27 = 66 / 32 + 14 = 46 / 43 + 20 = 63 / 19 + 32 = 51 / 30 + 47 = 76 / 27 + 29 = 56 / 17 + 38 = 55 / 36 + 35 = 71 / 34 + 19 = 53 / 39 + 26 = 65 / 36 + 38 = 74 / 53 + 33 = 86. **3.** 21 / 15 / 26 / 22 / 27 / 29 / 28 / 25 / 22 / 6 / 37 / 18.

Págs. 36/37/38/39 — 1. 497 + 333 = 830 / 557 + 253 = 810 / 702 + 199 = 901 / 122 + 283 = 405 / 666 + 157 = 823 / 747 + 69 = 816 / 506 + 206 = 712 / 738 + 268 = 1.006 / 234 + 197 + 56 = 487 / 722 + 88 + 81 = 891 / 614 + 106 + 211 = 931 / 299 + 188 + 377 = 864. **2.** 936 – 23 = 913 / 479 – 67 = 412 / 569 – 58 = 511 / 495 – 62 = 433 / 788 – 526 = 262 / 948 – 635 = 313 / 645 – 223 = 422 / 333 – 120 = 213 / 702 – 300 = 402 / 582 – 311 = 271 / 663 – 412 = 251 / 867 – 333 = 534. **3.** 656 + 242 = 898 / 656 – 242 = 414 / 846 – 511 = 335 / 846 + 511 = 1.357 / 740 – 10 = 730 / 740 + 10 = 750 / 935 – 111 = 824 / 935 + 111 = 1.046 / 400 + 400 = 800 / 400 – 400 = 0 / 777 + 321 = 1.098 / 777 – 321 = 456 / 240 – 38 = 202. Frase: Devemos ajudar a cuidar das plantas. Elas nos fornecem alimento e oxigênio sempre. **4.** 1ª coluna: 588 – 379 = 209 / 356 – 128 = 228 / 777 – 288 = 489 / 605 – 308 = 297. 2ª coluna (pintar a casa, já que todos os resultados foram pares): 476 – 358 = 118 / 327 – 119 = 208 / 536 – 148 = 388 / 400 – 206 = 194. 3ª coluna: 862 – 247 = 615 / 666 – 227 = 439 / 435 – 240 = 195 / 560 – 202 = 358. 4ª coluna: 210 – 105 = 105 / 290 – 152 = 138 / 692 – 394 = 298 / 700 – 250 = 450.

Págs. 40/41/42 — 1. A) Número natural. B) Ele mesmo. C) Resultado. D) Altera. **2.** A) Elemento neutro. B) Associativa. C) Comutativa. D) Fechamento. **3.** A) 0. B) 10. C) 6. D) 6. **4.** A) 10 + 11 = 21 (propriedade associativa). B) 16 + 4 = 20 (propriedade fechamento). C) 34 (propriedade comutativa). D) 46 (propriedade elemento neutro). **5.** A) 5 + (6 + 7) / 6 + (5 + 7). B) 10 + (4 + 9) / 4 + (10 + 9). **6.** A) 9 + 8. B) 6 + 7. C) 3 + 9. D) 4 + 5. **7.** Pessoal.

Págs. 43/44/45/46 — 1. 2 + 2 = 4 ou 2 × 2 = 4 / 3 + 3 = 6 ou 2 × 3 = 6 / 2 × 4 = 8 / 2 × 5 = 10 / 2 × 6 = 12 / 2 × 7 = 14 / 2 × 8 = 16 / 2

RESPOSTAS DAS ATIVIDADES

× 9 = 18. **2.** 2, 4, 6, 8, 10, 12, 14, 16. **3.** 6, 8, 10, 12, 14, 16, 18. **4.** 2 × 20 = 40 / 2 × 35 = 70 / 2 × 14 = 28

D	U	D	U	D	U
II		III I	IIIII	I	IIII
II		III	IIIII	I	IIII
4	0	7	0	2	8

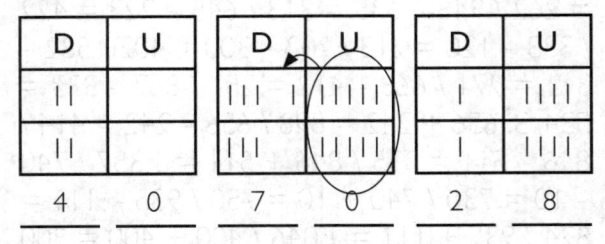

5. A) 3 + 3 = 6. B) 6 + 6 = 12. C) 9 + 9 = 18. D) 4 + 4 = 8. E) 2 + 2 = 4. F) 5 + 5 = 10. G) 8 + 8 = 16. H) 7 + 7 = 14. **6.** 16 × 2 = 32 / 24 × 2 = 48 / 78 × 2 = 156 / 49 × 2 = 98 / 57 × 2 = 114 / 96 × 2 = 192 / 68 × 2 = 136 / 93 × 2 = 186 / 63 × 2 = 126 / 25 × 2 = 50 / 69 × 2 = 138 / 75 × 2 = 150.

Págs. 47/48/49/50 — 1. 3, 6, 9, 12, 15, 18, 21, 24, 27, 30, 33, 36, 39, 42, 45, 48, 51, 54, 57, 60. **2.** 2×: 2, 4, 6, 8, 10, 12, 14, 16, 18, 20, 22. 3×: 3, 6, 9, 12, 15, 18, 21, 24, 27, 30, 33, 36. **3.** 1ª coluna: 2 × 3 = 6 / 11 × 3 = 33 / 9 × 3 = 27 / 3 × 5 = 15 / 3 × 3 = 9 / 3 × 12 = 36 / 3 × 7 = 21 / 3 × 10 = 30 / 8 × 3 = 24 / 3 × 1 = 3 / 4 × 3 = 12. 2ª coluna: 3 × 3 = 9 / 1 × 3 = 3 / 7 × 3 = 21 / 10 × 3 = 30 / 3 × 9 = 27 / 3 × 4 = 12 / 3 × 11 = 33 / 5 × 3 = 15 / 3 × 8 = 24 / 3 × 6 = 18 / 2 × 3 = 6 / 3 × 2 = 6. **4.** 2 × 2 = 4 / 2 × 3 = 6 / 2 × 4 = 8 / 2 × 5 = 10 / 2 × 6 = 12 / 2 × 7 = 14 / 2 × 8 = 16 / 2 × 9 = 18. 3 × 2 = 6 / 3 × 3 = 9 / 3 × 4 = 12 / 3 × 5 = 15 / 3 × 6 = 18 / 3 × 7 = 21 / 3 × 8 = 24 / 3 × 9 = 27. 1 × 2 = 2 / 1 × 3 = 3 / 1 × 4 = 4 / 1 × 5 = 5 / 1 × 6 = 6 / 1 × 7 = 7 / 1 × 8 = 8 / 1 × 9 = 9. 1 × 2 = 2 / 2 × 3 = 6 / 3 × 4 = 12 / 1 × 5 = 5 / 2 × 6 = 12 / 3 × 7 = 21 / 1 × 8 = 8 / 2 × 9 = 18. **5.** 6, 24, 36, 12, 3, 27, 18, 15, 33, 30, 36, 33, 12, 6, 9, 15, 24, 18, 30, 3, 27, 9, 21, 30, 15, 18, 12, 24, 3, 6, 21, 6, 27, 30, 3, 9, 15, 12, 36, 24, 12, 33, 15, 21, 6, 27, 24, 30, 36, 3, 15, 12, 9, 27, 3, 21, 6, 24, 30, 33, 21, 3, 24, 36, 27, 30, 15, 18, 9, 12, 30, 15, 21, 9, 36, 18, 24, 6, 33, 12, 36, 30, 9, 15, 27, 3, 6, 33, 24, 12, 27, 3, 24, 12, 30, 21, 36, 33, 15, 18.

Págs. 51/52/53/54 — 1. 16, 12, 10, 2, 18, 6, 8, 0, 20, 36, 24, 0, 16, 32, 20, 40, 8, 28, 4, 0, 3, 5, 5, 10, 8, 6, 7. **2.** 4, 24, 12, 28, 8, 40, 48, 36, 20, 32, 44, 16. **3.** Pessoal. **4.**

Adição	Multiplicação	Total
1 + 1 + 1 + 1	4 × 1	4
2 + 2 + 2 + 2	4 × 2	8
3 + 3 + 3 + 3	4 × 3	12
4 + 4 + 4 + 4	4 × 4	16
5 + 5 + 5 + 5	4 × 5	20
6 + 6 + 6 + 6	4 × 6	24
7 + 7 + 7 + 7	4 × 7	28
8 + 8 + 8 + 8	4 × 8	32
9 + 9 + 9 + 9	4 × 9	36
10 + 10 + 10 + 10	4 × 10	40

5. 88, 1.569, 2.448, 1.442, 162, 1.822, 404, 1.563, 1.200, 200, 200, 600.

Págs. 55/56/57/58/59 — 1. 5, 30, 15, 35, 10, 50, 60, 45, 25, 40, 55, 20. **2.** 15, 25, 35, 10, 30, 20, 0, 40, 50, 5, 45, 30, 15, 40, 35, 50. **3.** ×5: 0, 5, 10, 15, 20, 25, 30, 35, 40, 45, 50 / 160, 70, 195, 205, 610, 305, 1.255, 710, 2.515, 230, 1.725, 1.020. **4.** 15, 20 / 6, 8 / 27, 36 / 18, 24 / 9, 12. **5.** 4 × 8 = 32 / 7 × 5 = 35 / 3 × 4 = 12 / 5 × 6 = 30 / 7 × 3 = 21 / 4 × 4 = 16 / 2 × 5 = 10 / 9 × 4 = 36 / 9 × 3 = 27.

RESPOSTAS DAS ATIVIDADES

Págs. 60/61/62/63/64 — **1. 1×**: 1, 2, 3, 4, 5, 6, 7, 8, 9, 10, 11, 12, **2×**: 2, 4, 6, 8, 10, 12, 14, 16, 18, 20, 22, 24. **3×**: 3, 6, 9, 12, 15, 18, 21, 24, 27, 30, 33, 36. **4×**: 4, 8, 12, 16, 20, 24, 28, 32, 36, 40, 44, 48. **5×**: 5, 10, 15, 20, 25, 30, 35, 40, 45, 50, 55, 60. **6×**: 6, 12, 18, 24, 30, 36, 42, 48, 54, 60, 66, 72. **2.** Pintar os seguintes sorvetes: 6, 12, 42, 66, 18, 30, 48, 0, 72, 36, 60, 24, 64. **3.** 450, 150, 294, 115, 216, 324, 117, 522, 352, 225, 534, 96, 300, 280, 228. **4.** 0, 6, 12, 18, 24, 30, 36, 42, 48, 54, 60 / 1.338, 1.308, 804, 1.908, 1.884, 786, 630, 1.482, 3.036, 2.508, 2.616, 1.470. **5.** 1ª coluna: 18, 6, 60, 30, 48, 36, 24, 42, 54, 0, 18, 12, 48, 60, 24, 18, 54, 42, 30, 6. 2ª coluna: 6, 0, 5, 2, 10, 7, 9, 6, 8, 1, 5, 10, 9, 4, 0, 6, 3, 8.

Págs. 65/66/67/68/69 — **1. Multiplicação do 6**: 6 × 0 = 0, 6 × 1 = 6, 6 × 2 = 12, 6 × 3 = 18, 6 × 4 = 24, 6 × 5 = 30, 6 × 6 = 36, 6 × 7 = 42, 6 × 8 = 48, 6 × 9 = 54, 6 × 10 = 60. **Multiplicação do 7**: 7 × 0 = 0, 7 × 1 = 7, 7 × 2 = 14, 7 × 3 = 21, 7 × 4 = 28, 7 × 5 = 35, 7 × 6 = 42, 7 × 7 = 49, 7 × 8 = 56, 7 × 9 = 63, 7 × 10 = 70. **2.** 7 × 7 = 49 (amarelo) 10 × 7 = 70 (roxo); 8 × 7 = 56 (azul); 9 × 7 = 63 (verde); 5 × 7 = 35 (laranja); 6 × 7 = 42 (violeta); 4 × 7 = 28 (azul); 3 × 7 = 21 (bege); 1 × 7 = 7 (preto); 2 × 7 = 14 (marrom). **3.**

×	0	1	2	3	4	5	6	7	8	9	10
1	0	1	2	3	4	1	6	7	8	9	10
2	0	2	4	6	8	10	12	14	16	18	20
3	0	3	6	9	12	15	18	21	24	27	30
4	0	4	8	12	16	20	24	28	32	36	40
5	0	5	10	15	20	25	30	35	40	45	50
6	0	6	12	18	24	30	36	42	48	54	60
7	0	7	14	21	28	35	42	49	56	63	70

4. 5 × 4 = 20 / 7 × 8 = 56 / 2 × 8 = 16 / 3 × 1 = 3/ 5 × 9 = 45 /2 × 3 = 6 / 3 × 8 = 24 / 6 × 2 = 12. **5.** 1ª coluna: 35, 14, 0, 21, 70, 28, 42, 63, 56, 42, 31, 49, 35, 7, 63, 14, 56, 70, 42, 28 / 2ª coluna: 5, 2, 1, 4, 7, 0, 3, 6, 8, 10, 2, 9, 3, 56, 1, 0, 6, 10, 4, 7. **6.** 1.092, 1.560, 2.430, 1.890, 2.464, 1.746, 2.940, 1.584, 858, 2.149, 870, 4.956, 2.163, 3.006, 1.302, 1.002.

Págs. 70/71/72/73/74/75 — **1.** 1ª coluna: 0, 8, 16, 24, 32, 40, 48, 56, 64, 72. 2ª coluna: 80, 88, 96, 72, 64, 56, 48, 40, 32, 24. **2.** 1ª coluna: 56, 80, 24, 64, 96, 8, 48, 40, 8, 88, 96, 56. 2ª coluna: 48, 32, 16, 40, 80, 64, 72, 24, 32, 72, 88, 16. **3.** 1ª coluna: 24, 40, 16, 0, 72, 48, 80, 56, 32, 64, 48, 8, 40, 56, 72. 2ª coluna: 1, 5, 8, 2, 9, 4, 10, 56, 3, 6, 5, 0, 9, 4, 6. **4.** 6, 8, 18, 24, 30, 40, 42, 56, 54, 72. **5.** Sofia: 3 × 1 = 3 / 3 × 10 = 30 / 3 × 7 = 21 / 2 × 7 = 14 / 4 × 8 = 32 / 4 × 3 = 12. Pedro: 2 × 4 = 8 / 4 × 5 = 20 / 4 × 9 = 36 / 2 × 2 = 4 / 3 × 6 = 18 / 3 × 9 = 27. Ana: 3 × 5 = 15 / 4 × 6 = 24 / 4 × 7 = 28 / 3 × 1 = 3 / 2 × 1 = 2 / 2 × 3 = 6. Caio: 4 × 4 = 16 / 2 × 0 = 0 / 5 × 5 = 25 / 2 × 5 = 10 / 3 × 3 = 9 / 5 × 10 = 50. A) Pedro. B) 3 pedras. C) 5 pedras. D) 4 pedras. E) Sofia: 30, 14, 12. Pedro: 8, 20, 36, 4, 18, 27. Ana: 15, 24, 28, 2, 6. Caio: 16, 0, 10, 9. F) Sofia. G) Pedro, Ana, Caio, Sofia. H)

Fato	Resultado
3 × 1	3
3 × 7	21
4 × 8	32
5 × 5	25
5 × 10	50

3º ano — 2A EDIÇÃO

RESPOSTAS DAS ATIVIDADES

Págs. 76/77/78/79 — 1.

×	1	2	3	4	5	6	7	8	9	10
6	6	12	18	24	30	36	42	48	54	60
7	7	14	21	28	35	42	49	56	63	70
8	8	16	24	32	40	48	56	64	72	80
9	9	18	27	36	45	54	63	72	81	90

2. $9 \times 1 = 9$ / $9 \times 2 = 18$ / $9 \times 3 = 27$ / $9 \times 4 = 36$ / $9 \times 5 = 45$ / $9 \times 6 = 54$ / $9 \times 7 = 63$ / $9 \times 8 = 72$ / $9 \times 9 = 81$ / $9 \times 10 = 90$. **3.** $2 \times 7 = 14$ / $5 \times 5 = 25$ / $3 \times 9 = 27$ / $0 \times 6 = 0$ / $7 \times 8 = 56$ / $1 \times 5 = 5$ / $4 \times 7 = 28$ / $5 \times 6 = 30$ / $4 \times 8 = 32$ / $0 \times 7 = 0$ / $6 \times 9 = 54$ / $8 \times 5 = 40$ / $7 \times 9 = 63$ / $6 \times 6 = 36$ / $8 \times 6 = 48$ / $2 \times 8 = 16$ / $1 \times 7 = 7$ / $5 \times 8 = 40$ / $3 \times 5 = 15$ / $9 \times 7 = 63$ / $3 \times 8 = 24$ / $6 \times 7 = 42$ / $9 \times 5 = 45$ / $8 \times 9 = 72$ / $6 \times 8 = 48$ / $2 \times 6 = 12$ / $6 \times 5 = 30$ / $4 \times 9 = 36$ / $7 \times 6 = 42$ / $5 \times 9 = 45$ / $9 \times 8 = 72$ / $2 \times 5 = 10$ / $0 \times 5 = 0$ / $8 \times 8 = 64$ / $1 \times 6 = 6$ / $8 \times 7 = 56$ / $2 \times 9 = 18$ / $5 \times 7 = 35$ / $0 \times 8 = 0$ / $9 \times 9 = 81$ / $1 \times 8 = 8$ / $3 \times 6 = 18$ / $4 \times 5 = 20$ / $0 \times 9 = 0$ / $3 \times 7 = 21$ / $9 \times 6 = 54$ / $7 \times 7 = 49$ / $7 \times 5 = 35$ / $4 \times 6 = 24$ / $1 \times 9 = 9$. **4.** 1ª coluna: 45, 18, 54, 81, 27, 36, 90, 9, 72, 63, 36, 54, 18, 72, 63. 2ª coluna: 10, 5, 3, 0, 7, 6, 8, 4, 2, 9, 10, 6, 1, 8, 4. **5.** 0, 9, 18, 27, 36, 45, 54, 63, 72, 81, 90 / 2.052, 1.152, 3.069, 1.197, 1.287, 2.799, 4.590, 3.843, 4.554, 4.212, 5.706, 4.455.

Págs. 80/81/82/83/84 — 1. 50, 224, 408, 304, 198, 352, 95, 135, 279, 637, 243, 111, 250, 270, 783, 90, 168, 200, 696, 783, 195, 325, 387, 264, 88, 108, 837, 189, 32, 448, 258. Resposta: Nenhum animal porque casas não pulam. **2.** $3 \times 6 = 18$ / $3 \times 5 = 15$ / $4 \times 3 = 12$ / $2 \times 5 = 10$ / $5 \times 4 = 20$ / $2 \times 7 = 14$ / $2 \times 6 = 12$ / $3 \times 7 = 21$ / $5 \times 6 = 30$ / $5 \times 7 = 35$ / $1 \times 4 = 4$ / $2 \times 3 = 6$. **3.** $5 \times 89 = 445$ (Mateus) / $6 \times 630 = 3.780$ (Ana) / $9 \times 124 = 1.116$ (Bia) / $7 \times 215 = 1.505$ (Bruna). **4.** 2.016 / 1.152. 1.071 / 1.458 / 3.087 / 2.610 / 5.697. A) Suco de uva. B) Água. C) 945 águas a mais. D) A diferença é de 477. E) 558 isotônicos.

Págs. 85/86/87/88 — 1.

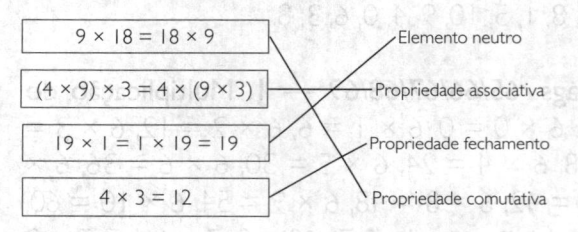

$9 \times 18 = 18 \times 9$ — Elemento neutro
$(4 \times 9) \times 3 = 4 \times (9 \times 3)$ — Propriedade associativa
$19 \times 1 = 1 \times 19 = 19$ — Propriedade fechamento
$4 \times 3 = 12$ — Propriedade comutativa

2. A) Associativa. B) Elemento neutro da adição. C) Comutativa da adição. D) Elemento neutro da multiplicação. E) Comutativa da multiplicação. F) Associativa. **3.** A) a C) Pessoal. **4.** Comutativa: $9 \times 8 = 8 \times 9$ / $3 \times 5 = 5 \times 3$ / $8 \times 8 = 8 \times 8$. Associativa: $3 \times (6 \times 1)$ / $9 \times (4 \times 8)$ / $6 \times (4 \times 3)$. **5.** A) $2 \times 2,50 = 5,00$ / $2 \times 0,95 = 1,90$ / $2 \times 0,75 = 1,50$ / $5 + 1,90 + 1,50 = 8,40$. B) R$ 10,00 – R$ 8,40 = R$ 1,60. C) R$ 1,60 – R$ 1,50 = R$ 0,10. D) Comutativa. E) Na sala, há 108 cadeiras. F) $9 \times 7 = 63$. O valor de z é 9. **6.** 10, 45, 18, 6, 10, 8, 63, 7 / 24, 72, 42, 4, 56, 8, 8, 40, 5 / 6, 6, 8, 49, 0, 24, 2, 8, 54.

Págs. 89/90/91/92 — 1. 400, 700, 6.000, 120,

RESPOSTAS DAS ATIVIDADES

5.000, 500, 9.000, 3.000, 900, 220, 800, 110.
2.

22	×	100	2.200
63	×	10	630
2	×	100	200
72	×	100	7.200
33	×	100	3.300
6.320	×	10	63.200

3.

	× 10	× 100	× 1.000
24	240	2.400	24.000
8	80	800	8.000
95	950	9.500	95.000
579	5.790	57.900	579.000
34	340	3.400	34.000
49	490	4.900	49.000
18	180	1.800	18.000
7	70	700	7.000
15	150	1.500	15.000
36	360	3.600	36.000
392	3.920	39.200	392.000
40	400	4.000	40.000
813	8.130	81.300	813.000
15	150	1.500	15.000
4	40	400	4.000
41	410	4.100	41.000
12	120	1.200	12.000
69	690	6.900	69.000

4. A) Serão feitas 300 refeições diárias. B) R$ 3.000,00, R$ 450,00, R$ 5.000,00. C) 4.500, 12.300, 1.000. D) 28.000 m, 100.000 m, 75.000 m. E) R$ 400,00, R$ 800,00, R$ 1.200,00, R$ 1.800,00, R$ 2.200,00.

Págs. 93/94/95/96 — 1.

32 × 21

	30	2
20	600	40
1	30	40

600
40
30
+ 40
710

54 × 26

	50	4
20	100	80
6	300	24

100
300
80
+ 24
404

64 × 38

	60	4
30	1.800	120
8	480	32

1.800
120
480
+ 32
2.432

24 × 23

	20	4
20	400	80
3	60	12

600
80
60
+ 12
552

41 × 26

	40	1
20	800	20
6	240	6

800
240
20
+ 6
1.066

52 × 34

	50	2
30	150	60
4	200	8

150
200
60
+ 8
418

2.

```
    9 3              7 3              8 2
  × 1 2            × 2 1            × 3 1
    1 2 6            7 3              8 2
+   9 3 0        + 1 4 6 0        + 2 4 6 0
  1 1 1 6          1 5 3 3          2 5 4 2


    9 2              8 2              7 2
  × 1 3            × 1 4            × 4 1
    2 7 6            3 2 8              7 2
+   9 2 0        +   8 2 0        + 2 8 8 0
  1 1 9 6          1 1 4 8          2 9 5 2
```

3º ano – 2A EDIÇÃO

RESPOSTAS DAS ATIVIDADES

		8	1
×		2	3
		2	4	3
+	1	6	2	0
	1	8	6	3

		7	1
×		3	2
		1	4	2
+	2	1	3	0
	2	2	7	2

		9	1
×		4	2
		1	8	2
+	3	6	4	0
	3	8	2	2

3.

(continuação das contas com resultados: 949, 1577, 1512, 1953, 1968, 1554, 1932, 2912, 1992)

4. 28.032, 12.537, 25.451, 73.953, 16.800, 86.338, 48.525, 27.948, 6.279, 27.924, 12.737, 32.806, 6.909, 9.559, 24.215, 9.084.

Págs. 97/98/99/100 — 1. Dobro: 22, 120, 52, 32, 82, 64, 36. Triplo: 60, 30, 75, 45, 105, 153, 66. Quádruplo: 200, 168, 88, 160, 96, 132, 125. Quíntuplo: 270, 330, 410, 125, 135, 150, 90. **2.** 22, 42, 64 / 108, 48, 156 / 144, 55, 199 / 60, 42, 302. **3.** A) Edson = 34 / Davi = 170 / Caio = 510. Os três juntos têm 714 figurinhas. / Caio tem mais figurinhas. / Caio tem 340 figurinhas a mais. / Davi tem 136 figurinhas a mais que Edson. B) Equipe amarela: 156 / Equipe azul = 468 / Equipe vermelha = 312 / Total de pessoas = 936 pessoas. A equipe azul tem 312 participantes a mais que a vermelha.

Págs. 101/102/103/104/105/106 — 1. ou 8 ÷ 2 = 4 / ou 14 ÷ 2 = 7 / ou 16 ÷ 2 = 8 / ou 10 ÷ 2 = 5 / ou 6 ÷ 2 = 3 / ou 12 ÷ 2 = 6 / ou 18 ÷ 2 = 9. **2.** 1, 2, 3, 4, 5, 6, 7, 8, 9, 10. **3.** 20 ÷ 2 = 20 / 22 ÷ 2 = 11 / 36 ÷ 2 = 18 / 14 ÷ 2 = 7 / 24 ÷ 2 = 12 / 46 ÷ 2 = 23 / 64 ÷ 2 = 32 / 30 ÷ 2 = 15 / 32 ÷ 2 = 16 / 18 ÷ 2 = 9. **4.** 48 ÷ 2 = 24 / 64 ÷ 2 = 32 / 28 ÷ 2 = 14 / 84 ÷ 2 = 42 / 98 ÷ 2 = 49 / 72 ÷ 2 = 36 / 44 ÷ 2 = 22 / 56 ÷ 2 = 28. **5.** 12 ÷ 2 = 6 / 36 ÷ 2 = 18 / 72 ÷ 2 = 36 / 20 ÷ 2 = 10 / 48 ÷ 2 = 24 / 64 ÷ 2 = 32 / 88 ÷ 2 = 44 / 32 ÷ 2 = 16 / 24 ÷ 2 = 12 / 52 ÷ 2 = 26 / 84 ÷ 2 = 42 / 104 ÷ 2 = 52 / 16 ÷ 2 = 8 / 80 ÷ 2 = 40 / 28 ÷ 2 = 14.

Págs. 107/108/109/110 — 1. 9 ÷ 3 = 3 / 12 ÷ 3 = 4 / 18 ÷ 3 = 6 / 21 ÷ 3 = 7. **2.** 9 ÷ 3 = 3 / 100 ÷ 10 = 10 / 12 ÷ 3 = 4 / 21 ÷ 3 = 7 / 24 ÷ 3 = 8 / 27 ÷ 3 = 9 / 21 ÷ 3 = 7 / 6 ÷ 3 = 2 / 9 ÷ 3 = 3 / 18 ÷ 3 = 6 / 0 ÷ 0 = 0 / 27 ÷ 3 = 9 / 9 ÷ 3 = 3 / 18 ÷ 3 = 6 / 0 ÷ 0 = 0 / 27 ÷ 3 = 9 / 15 ÷ 3 = 5 / 3 ÷ 3 = 1 / 0 ÷ 0 = 0. Frase: Eu gosto de matemática. **3.** A) 18 ÷ 3 = 6. B) 21 ÷ 3 = 9. C) 36 ÷ 3 = 12. D) 96 ÷ 3 = 32. E) 129 ÷ 3 = 42. F) 81 ÷ 3 = 27. G) 72 ÷ 3 = 24. H) 87 ÷ 3 = 29. I) 57 ÷ 3 = 19. **4.** A) 28 ÷ 2 = 14

RESPOSTAS DAS ATIVIDADES

/ 60 ÷ 3 = 20 / 88 ÷ 2 = 44 / 48 ÷ 3 = 16 / 24 ÷ 2 = 12 / 144 ÷ 3 = 48 / 128 ÷ 2 = 64 / 90 ÷ 3 = 30 / 33 ÷ 3 = 11 / 81 ÷ 3 = 27 / 99 ÷ 3 = 33 / 120 ÷ 2 = 60 / 92 ÷ 2 = 46 / 153 ÷ 3 = 51 / 136 ÷ 2 = 68. B) 20, 15, 48, 30, 11, 27, 33 e 51. C) 14, 44, 12, 64, 60, 46 e 88.

Págs. 111/112/113/114/115/116 — 1. 16 ÷ 4 = 4 (Júlia) / 36 ÷ 4 = 9 (Pierre) / 4 ÷ 4 = 1 (Marcos) / 28 ÷ 4 = 7 (Rui). **2.** 4 × 2 = 8; 8 ÷ 4 = 2 / 4 × 7 = 28; 28 ÷ 4 = 7 / 4 × 9 = 36; 36 ÷ 4 = 9 / 4 × 6 = 24; 24 ÷ 4 = 6 / 4 × 3 = 12; 12 ÷ 4 = 3 / 4 × 8 = 32; 32 ÷ 4 = 8 / 4 × 4 = 16; 16 ÷ 4 = 4 / 4 × 5 = 20; 20 ÷ 4 = 5 / 4 × 1 = 4; 4 ÷ 4 = 1. **3.** 24 ÷ 2 = 12 / 36 ÷ 2 = 18 / 42 ÷ 2 = 21 / 78 ÷ 2 = 39 / 18 ÷ 6 = 3 / 15 ÷ 5 = 3 / 63 ÷ 3 = 21 / 96 ÷ 3 = 32 / 76 ÷ 4 = 19 / 44 ÷ 4 = 11 / 160 ÷ 4 = 40 / 52 ÷ 4 = 13. **4.** 24 ÷ 4 = 6 / 48 ÷ 4 = 12 / 8 ÷ 4 = 4 / 40 ÷ 4 = 10 / 44 ÷ 4 = 11 / 24 ÷ 4 = 6 / 16 ÷ 4 = 4 / 20 ÷ 4 = 5 / 24 ÷ 4 = 6 / 8 ÷ 4 = 2 / 32 ÷ 4 = 8 / 24 ÷ 4 = 6 / 40 ÷ 4 = 10 / 24 ÷ 4 = 6 / 36 ÷ 4 = 9 / 16 ÷ 4 = 4 / 20 ÷ 4 = 5 / 28 ÷ 4 = 7. **5.**

68 ÷ 4 =	21	**17**	15
69 ÷ 3 =	**23**	48	36
48 ÷ 4 =	29	32	**12**
28 ÷ 2 =	**14**	24	25
60 ÷ 4 =	12	10	**15**
126 ÷ 3 =	50	**42**	48
100 ÷ 4 =	**25**	60	65
32 ÷ 4 =	501	**8**	502
72 ÷ 2 =	9	12	**36**
105 ÷ 3 =	12	**35**	13
64 ÷ 4 =	**16**	17	22
124 ÷ 4 =	21	**31**	24
168 ÷ 4 =	85	87	**42**

36 ÷ 2 =	29	**18**	30
93 ÷ 3 =	40	**31**	35
72 ÷ 4 =	**18**	16	12

6. A) 31. B) 48. C) 12. D) 9. E) 32. F) 18. G) 64. H) 103. I) 104.

Págs. 117/118/119/120 — 1. 20 ÷ 5 = 4 / 40 ÷ 5 = 8 / 10 ÷ 5 = 2 / 25 ÷ 5 = 5 / 40 ÷ 5 = 8 / 45 ÷ 5 = 9 / 5 ÷ 5 = 1 / 35 ÷ 5 = 7 / 25 ÷ 5 = 5 / 10 ÷ 5 = 2 / 50 ÷ 5 = 10 / 15 ÷ 5 = 3 / 30 ÷ 5 = 6 / 30 ÷ 5 = 10 / 35 ÷ 5 = 7 / 20 ÷ 5 = 4 / 45 ÷ 5 = 9 / 5 ÷ 5 = 1. **2.**

:	3	5
30	10	6
120	40	24
15	5	3
75	25	15
60	20	12

3. 85 ÷ 5 = 17 / 75 ÷ 5 = 15 / 58 ÷ 5 = 11,6 / 18 ÷ 5 = 3,6 / 61 ÷ 5 = 12,2 / 24 ÷ 5 = 4,8 / 31 ÷ 5 = 6,2 / 94 ÷ 5 = 18,8.

: 5
5 : 5 = 1
10 : 5 = 2
15 : 5 = 3
20 : 5 = 4
25 : 5 = 5
30 : 5 = 6
35 : 5 = 7
40 : 5 = 8
45 : 5 = 9
50 : 5 = 10

RESPOSTAS DAS ATIVIDADES

4. A) Cada um receberá 25 figurinhas. B) O valor de cada parcela é de R$ 196,00. C) Quociente = 29. Resto = 4.

Págs. 121/122/123/124 — 1. 48 ÷ 6 = 8 / 12 ÷ 6 = 2 / 18 ÷ 6 = 3 / 36 ÷ 6 = 6 / 30 ÷ 6 = 5 / 42 ÷ 6 = 7 / 24 ÷ 6 = 4 / 12 ÷ 6 = 2 / 6 ÷ 6 = 1 / 54 ÷ 6 = 9 / 24 ÷ 6 = 4 / 30 ÷ 6 = 5. **2.** 24 ÷ 6 = 4 / 60 ÷ 6 = 10 / 30 ÷ 6 = 5 / 42 ÷ 6 = 7 / 12 ÷ 6 = 2 / 18 ÷ 6 = 3 / 54 ÷ 6 = 9 / 48 ÷ 6 = 8 / 6 ÷ 6 = 1 / 36 ÷ 6 = 6. **3.** 66 ÷ 6 = 11 (Laura) / 96 ÷ 6 = 16 (Maria) / 612 ÷ 6 = 102 (Pedro) / 186 ÷ 6 = 31 (Beatriz) / 84 ÷ 6 = 14 (Júnior). A) 66. B) 102. C) 31. D) 14. E) 16. F) 66 ÷ 6 = 11 / 612 ÷ 6 = 102 / 186 ÷ 6 = 31. **4.** 86 ÷ 6 = 14,3 / 58 ÷ 6 = 9,6 / 38 ÷ 6 = 6,3 / 57 ÷ 6 = 9,5 / 45 ÷ 6 = 7,5 / 88 ÷ 6 = 14,6 / 59 ÷ 6 = 9,8 / 32 ÷ 6 = 5,3.

: 6
6 : 1 = 6
12 : 6 = 2
18 : 6 = 3
24 : 6 = 4
30 : 6 = 5
36 : 6 = 6
42 : 6 = 7
48 : 6 = 8
54 : 6 = 9
60 : 6 = 10

5. 8 ÷ 4 = 2 / 49 ÷ 5 = 9,8 / 807 ÷ 6 = 134,5 / 150 ÷ 4 = 37,5 / 507 ÷ 6 = 84,5 / 726 ÷ 4 = 181,5 / 821 ÷ 6 = 136,8 / 960 ÷ 5 = 192 / 462 ÷ 4 = 115,5 / 607 ÷ 5 = 121,4 / 729 ÷ 6 = 121,5 / 503 ÷ 5 = 100,6 / 710 ÷ 6 = 118,3 / 512 ÷ 3 = 170,6 / 915 ÷ 3 = 305.

Págs. 125/126/127/128 — 1.

14 : 7 = 2	7 : 7 = 1
14 : 7 = 2	70 : 7 = 10
35 : 7 = 5	63 : 7 = 9
56 : 7 = 8	49 : 7 = 7
63 : 7 = 9	21 : 7 = 3
28 : 7 = 4	56 : 7 = 8
28 : 7 = 4	35 : 7 = 5
7 : 7 = 1	21 : 7 = 3
77 : 7 = 11	42 : 7 = 6
70 : 7 = 10	42 : 7 = 6

2. 160 ÷ 4 = 40 / 100 ÷ 5 = 20 / 120 ÷ 4 = 30 / 120 ÷ 4 = 30 / 450 ÷ 5 = 90 / 144 ÷ 4 = 36 / 110 ÷ 5 = 22 / 128 ÷ 4 = 32 / 175 ÷ 5 = 35 / 165 ÷ 3 = 55 / 170 ÷ 2 = 85 / 120 ÷ 2 = 60 / 172 ÷ 2 = 86 / 130 ÷ 2 = 65.

3.

MULTIPLICAÇÃO	DIVISÃO	RESPOSTA
4 × 3	12 : 3	4
5 × 2	10 : 2	5
2 × 5	10 : 5	2
3 × 4	12 : 4	3
10 × 4	40 : 4	10
2 × 7	14 : 7	2
9 × 2	18 : 2	9
4 × 4	16 : 4	4
6 × 3	18 : 3	6
10 × 5	50 : 5	10
5 × 5	25 : 5	5
8 × 3	24 : 3	8
12 × 2	24 : 2	12
5 × 6	30 : 6	5
7 × 3	21 : 3	7
6 × 4	24 : 4	6

RESPOSTAS DAS ATIVIDADES

4. A) 29. B) 37. C) 27. D) 23. E) 38. F) 44. G) 59. H) 67. I) 57. J) 43. K) 88. L) 48. M) 19. N) 22. O) 13. P) 25. Q) 65. R) 24. S) 12. T) 26. U) 17.

	8	11	11	1	86	17	28
	29	**37**	**27**	**23**	3	10	9
	9	5	20	**38**	4	5	12
1	1	19	20	28	**44**	**59**	**67**	**57**
16	90	14	99	12	11	66	7	**43**
17	66	10	4	21	10	9	**48**	**88**
18	19	20	6	**25**	**13**	**22**	**19**	4
86	11	21	15	**65**	4	20	11	99
7	66	7	86	**24**	90	6
5	20	16	2	**12**	**26**	**17**
66	10	9	9	6	20	99

Págs. 129/130/131/132 — **1.** $32 \div 8 = 4$ / $8 \div 8 = 1$ / $8 \div 8 = 1$ / $24 \div 8 = 3$ / $32 \div 8 = 4$ / $48 \div 8 = 6$ / $48 \div 8 = 6$ / $72 \div 8 = 9$ / $56 \div 8 = 7$ / $40 \div 8 = 5$ / $24 \div 8 = 3$ / $56 \div 8 = 7$ / $16 \div 8 = 2$ / $40 \div 8 = 5$. **2.** $40 \div 2 = 20$ / $40 \div 4 = 10$ / $40 \div 5 = 8$ / $40 \div 8 = 5$ / $24 \div 3 = 6$ / $24 \div 4 = 6$ / $24 \div 6 = 4$ / $24 \div 8 = 3$ / $32 \div 2 = 16$ / $32 \div 4 = 8$ / $32 \div 8 = 4$ / $32 \div 8 = 4$ / $48 \div 3 = 16$ / $48 \div 4 = 12$ / $48 \div 6 = 6$ / $48 \div 8 = 6$ / $56 \div 2 = 28$ / $56 \div 4 = 14$ / $56 \div 7 = 8$ / $56 \div 8 = 7$ / $64 \div 2 = 32$ / $64 \div 4 = 16$ / $64 \div 8 = 8$ / $16 \div 4 = 4$ / $16 \div 8 = 2$ / $16 \div 2 = 8$ / $72 \div 3 = 24$ / $72 \div 4 = 18$ / $72 \div 6 = 12$ / $72 \div 8 = 9$ / $80 \div 2 = 40$ / $80 \div 4 = 20$ / $80 \div 5 = 16$ / $80 \div 8 = 10$. **3.** $503 \div 8 = 62,875$ / $529 \div 8 = 66,125$ / $340 \div 2 = 42,5$ / $5.012 \div 8 = 626,5$ / $247 \div 8 = 30,875$ / $650 \div 8 = 81,25$ / $220 \div 8 = 27,5$ / $2.605 \div 8 = 325,625$ / $3.170 \div 8 = 396,25$ / $1.602 \div 8 = 200,25$. **4.** $864 \div 8 = 108$ (músculos) / $968 \div 8 = 121$ (tríceps) / $973 \div 7 = 139$ (bíceps) / $972 \div 6 = 162$ (trapézio) / $975 \div 5 = 195$ (peitoral) / $972 \div 4 = 243$ (abdominal) / $975 \div 3 = 325$ (glúteo) / $974 \div 2 = 487$ (quadríceps) / $768 \div 8 = 96$ (gêmeo inferior) / $768 \div 6 = 128$ (dorsal) / $768 \div 4 = 192$ (tendão) / $768 \div 2 = 384$ (ligamentos).

Págs. 133/134/135/136/137 — **1.** $2.340 \div 9 = 260$ / $4.410 \div 9 = 490$ / $5.850 \div 9 = 650$ / $1.314 \div 9 = 146$ / $3.366 \div 9 = 374$ / $324 \div 9 = 36$ / $3.888 \div 9 = 432$ / $306 \div 9 = 34$ / $972 \div 9 = 108$ / $486 \div 9 = 54$. Resposta da charada: de mortadela. **2.**

$108 : 9 = 12$	$216 : 9 = 24$	$135 : 9 = 15$
$288 : 8 = 36$	$384 : 8 = 48$	$144 : 8 = 18$
$189 : 9 = 21$	$162 : 9 = 18$	$243 : 9 = 27$
$88 : 8 = 11$	$312 : 8 = 39$	$240 : 8 = 30$
$27 : 9 = 3$	$189 : 9 = 21$	$270 : 9 = 30$
$336 : 8 = 42$	$360 : 8 = 45$	$408 : 8 = 51$
$513 : 9 = 57$	$567 : 9 = 63$	$576 : 8 = 72$
$48 : 8 = 6$	$192 : 8 = 24$	$162 : 9 = 18$
$675 : 9 = 75$	$621 : 9 = 69$	$540 : 9 = 60$
$216 : 8 = 27$	$168 : 8 = 21$	$72 : 8 = 9$
$756 : 9 = 84$	$810 : 9 = 90$	$600 : 8 = 75$
$120 : 8 = 15$	$288 : 8 = 36$	$297 : 9 = 33$
$768 : 8 = 96$	$837 : 9 = 93$	$891 : 9 = 99$
$210 : 7 = 30$	$96 : 8 = 12$	$168 : 7 = 24$

Figura formada:

RESPOSTAS DAS ATIVIDADES

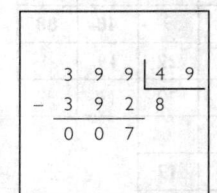

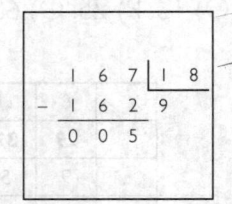

Págs. 138/139 — **1.** 4.200 ÷ 10 = 420 / 6.300 ÷ 100 = 63 / 45.000 ÷ 1.000 = 45 / 33.300 ÷ 100 = 333 / 63.200 ÷ 10 = 6.320 / 7.600 ÷ 100 = 76 / 7.600 ÷ 10 = 760 / 6.300 ÷ 10 = 630 / 6.320 ÷ 10 = 632 / 23.000 ÷ 100 = 230 / 4.200 ÷ 10 = 420 / 57.000 ÷ 1.000 = 57. A) Pessoal. B) Mentalmente. **2.**

÷	10	100	1.000
14.000	1.400	140	14
20.000	2.000	200	20
4.000	400	40	4
12.000	1.200	120	12

3. 11, 64, 25, 17, 2, 240.

Págs. 140/141/142/143 — **1.**

2.
7 × 25 + 3 = 178

9 × 18 + 5 = 167

8 × 49 + 7 = 399

6 × 93 + 2 = 560

3.

Dividendo	Divisor	Quociente	Resto
68	17	4	0
275	15	18	5
218	18	12	2
450	15	30	0
108	12	9	0

Págs. 144/145/146 — **1.** A) 216 − 126 = 90. B) 216 ÷ 108 = 2. C) 90 ÷ 2 = 45. D) 126 ÷ 2 = 63. **2.** A) 720 ÷ 20 = 36. B) 60 × 20 = 1.200. C) 1.200 − 720 = 480. **3.** 7 × 12 = 84 / 84 − 12 = 72 / 72 ÷ 2 = 36 / 36 papagaios. **4.** 5 × 5 = 25 / 4 × 3 = 12 / 25 + 12 = 37 / 37 quilos. **5.** 72 carrinhos de corrida / 75 bolinhas de gude / 147 ao todo.

Págs. 147/148/149/150/151/152 — **1.**

RESPOSTAS DAS ATIVIDADES

FIGURA	PARTES PINTADAS	TOTAL DAS PARTES	FRAÇÃO
	4	8	$\frac{4}{8}$
	2	2	$\frac{2}{2}$ OU INTEIRO
	4	4	$\frac{4}{4}$ OU INTEIRO
	1	2	$\frac{1}{2}$
	1	4	$\frac{1}{4}$
	1	4	$\frac{1}{4}$

2. $\frac{2}{9}$, $\frac{3}{9}$, $\frac{1}{9}$, $\frac{1}{9}$, $\frac{1}{9}$. A) B) 8 partes. C) 1 parte. D) 8. E) 9. 3. A) A quantidade de partes que foi pintada no inteiro. B) A quantidade de partes em que foi dividido o inteiro. 4. Divisão. 5. Nove dezesseis avos / Quatro sextos / Um terço / Cinco oitavos / Dois quartos. 6. $\frac{6}{7}$, $\frac{4}{6}$.

7. $\frac{1}{4}$, $\frac{1}{8}$, $\frac{3}{2}$, $\frac{2}{4}$, $\frac{3}{3}$, $\frac{2}{5}$, $\frac{1}{5}$. 8. $\frac{7}{8}$, $\frac{1}{8}$, $\frac{3}{8}$.

Págs. 153/154/155/156/157/158/159 — **1.** A) Gastou R$ 53,20 e recebeu R$ 46,80 de troco. B) Gastaria R$ 35,10. C) R$ 70,20. D) Gastou R$ 31,90. **2.** R$ 2.376,00 / R$ 402,00 / R$ 1.560,00 / R$ 472,00 / R$ 1.188,00. A) Televisão. B) Micro-ondas. C) R$ 1.968,00. **3.** Pessoal. **4.** Podemos trocar as moedas por uma nota de R$ 5,00. **5.** A) a D) Pessoal.

Págs. 160/161/162/163/164 — **1.** 7 horas / 2 horas / 11 horas / 4 horas. **2.** Devem ser marcadas as seguintes horas nos relógios: 5 horas, 10 horas e 8 horas. **3.** 7 h; 19 h / 3 h; 15 h / 2 h; 14 h / 1h10; 13h10 / 4h20; 14h20 / 3h45; 15h45. **4.** Marcar nos relógios as seguintes horas e minutos: 20h15 / 14h30 / 22h50 / 18h05 / 16h10 / 21h15 / 00h10 / 15h35. **5.** A) 24. B) 60. C) 60. D) 15. E) 7. F) 1.000. G) 10. H) 100. **6.** Pintar os relógios conforme a legenda: amarelo – 8h55 / laranja – 10h30 / verde – 8h45 / azul – 9h15 / rosa – 5h15 / marrom – 6 h / bege – 7 h / lilás – 13 h.

Págs. 165/166/167/168 — **1.** 1 = Domingo / 2 = segunda-feira / 3 = terça-feira / 4 = quarta-feira / 5 = quinta-feira / 6 = sexta-feira / 7 = sábado. A) Domingo. B) Sábado. **2.** Quarta-feira, quinta feira, sexta-feira / quinta-feira, sexta-feira, sábado / domingo, segunda-feira, terça-feira / sábado, domingo, segunda-feira. A) Pessoal. B) Segunda, terça, quarta, quinta e sexta. C) Sábado e domingo. D) a F) Pessoal. **3.** Sexta, segunda, quarta, terça, quinta, sábado, domingo.

4.

RESPOSTAS DAS ATIVIDADES

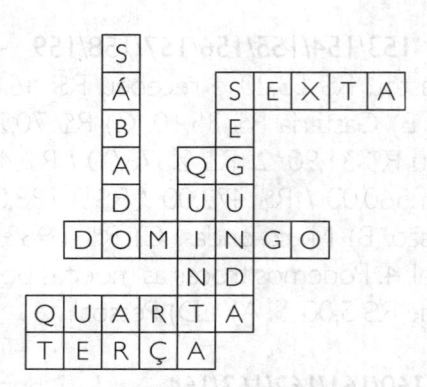

```
    S
    Á    S E X T A
    B    E
    A    G
    D  Q G
       U U
    D O M I N G O
       N D
  Q U A R T A
    T E R Ç A
```

Págs. 169/170/171/172/173/174 — 1. O aluno deve pintar os seguintes quadrinhos: janeiro = 1º / fevereiro = 2º / março = 3º / abril = 4º / maio = 5º / junho = 6º / julho = 7º / agosto = 8º / setembro = 9º / outubro = 10º / novembro = 11º / dezembro = 12º. A) 12 meses. B) a C) Pessoal. D) Maio. **2.** Pessoal. **3.** 9, 4, 3, 10, 5, 1, 6, 11, 7, 8, 2, 12. **4.** A)

Meses com 31 dias	Meses com 30 dias
janeiro, março, maio, julho, agosto, outubro, dezembro	abril, junho, setembro, novembro

B) Pessoal. C) Pessoal. **5.** A) Janeiro. B) Dezembro. C) Fevereiro. D) Junho. E) Julho. F) Agosto. G) Pessoal. H) Doze. I) Seis. J) Pessoal. K) Dezembro. L) Fevereiro. M) Pessoal.

Págs. 175/176/177/178 — 1. A) Régua. B) Fita métrica. C) Metro articulado. D) Metro de loja. E) Trena. **2.** A) a E) Pessoal. **3.** 2 cm / 4 cm / 8 cm. **4.** 10 centímetros / 6 centímetros. **5.** A) a C) Pessoal. D) Metro. E) m. F) 100 cm. **6.**

Medidas	Quanto faltam?
60 cm	40 cm
40 cm	60 cm
80 cm	20 cm
95 cm	5 cm
10 cm	90 cm
75 cm	25 cm
25 cm	75 cm

7. A) A prima de Carina mede 80 cm. B) Foram necessários 480 metros de tela.

Págs. 179/180/181/182/183 — 1. 4 litros. **2.** 42 litros. **3.** Pessoal. **4.** A) 50. B) 2. C) 6. D) 1. **5.** Pessoal. **6.** A) Gastará 94 litros de diesel. B) Pessoal. C) Sobraram 322 litros.

Págs. 184/185/186/187/188 — 1. Pessoal / pessoal / pessoal / pessoal / pessoal / kg e g / 1.000 g / quilograma / quilo. **2.** A) Paulo. B) Régila. C) 8 quilos. D) 64 quilos. E) 102 quilos. F) 159 quilos. G) 90 quilos. **3.** 681 kg + 245 kg = 926 kg / 245 kg + 19 kg = 264 kg / 6 × 37 kg = 222 kg / 600 g − 154 g = 446 g / 942 kg ÷ 3 = 314 kg / 248 g − 137 g = 111 g. Pedro = 111 / Lara = 314 / Pablo = 926 / Camila = 264 / Flávia = 222 / João = 446. **4.** Pessoal.